GW00535733

〔清〕蘅塘退士 編
陳婉俊 補注

唐詩三百首

06/11/2015

L.D

中華書局

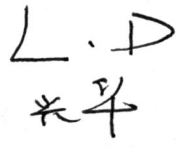

圖書在版編目(CIP)數據

唐詩三百首/(清)蘅塘退士編;陳婉俊補注.—北京:中華書局,1959.9(2015.3重印)

ISBN 978-7-101-04140-8

Ⅰ.唐… Ⅱ.①蘅…②陳… Ⅲ.唐詩-選集
Ⅳ.I222.742

中國版本圖書館CIP數據核字(2003)第107278號

唐詩三百首

〔清〕蘅塘退士 編
陳婉俊 補注

*

中 華 書 局 出 版 發 行
(北京市豐臺區太平橋西里38號 100073)
http://www.zhbc.com.cn
E-mail:zhbc@zhbc.com.cn
北京天來印務有限公司印刷

*

850×1168毫米 1/32 · 7¼印張 · 86千字
1959年9月新1版 2015年3月北京第15次印刷
印數:131951-137950冊 定價:16.00元

ISBN 978-7-101-04140-8

出版説明

《唐詩三百首》是清人孫洙、徐蘭英伉儷合編的唐詩普及讀物。自乾隆二十八年(一七六三)問世以來，伴隨着「熟讀唐詩三百首，不會吟詩也會吟」的俗諺廣為傳佈，并逐漸取代《千家詩》成為新的家塾課本。至今依然雅俗共賞，家絃户誦。

編者孫洙(一七一一——一七七八)字臨西，號蘅塘退士，江蘇金匱(今無錫市)人，乾隆十六年(一七五一)進士，做過知縣，又曾任江寧府(今南京市)教諭。著有《蘅塘漫稿》。徐蘭英乃孫洙繼室，據説曾獲「江南女士」雅號。

《唐詩三百首》共選唐代七十七位作者(中有無名氏二家)的三百十首詩(後人增補杜甫《詠懷古迹》三首)。全書按體裁分為八卷，在五言古詩、七言古詩、五言律詩、七言律詩、五言絶句、七言絶句各類詩體下，又大致按作者時代先後編次，并分別以樂府詩殿後。本書所選的詩，既側重王維、李白、杜甫、李商隱等一流詩人的代表作，也酌收不知名作者之佳什，甚至收入僧人、歌女之詩，範圍相當廣泛，且又膾炙人口，大多淺顯易懂，便於傳誦。

鑒於該書卷帙適中，編次合理，選材精當，諸體兼備，讀者歡迎，因而注家蜂起，歷久不衰。其中：道光間陳婉俊的《補注》，簡明扼要；光緒間章燮的《疏解》，翔實具體；近人喻守真的《詳析》，獨具魅力；今人的校注、賞析、今譯、新編等，不勝枚舉。然則影響最大、流傳最久的應屬陳婉俊的《補注》本。陳婉俊，金陵（今南京市）人，號上元女史。她以女性特有的精細與聰慧，考核校訂，補寫詩人小傳，引經據典，訓詁注釋，探求詩旨，兼採詩話。其書曾以李氏餐花閣版及四藤唫社刊本傳世。

一九五九年中華書局利用原文學古籍刊行社的紙型，據四藤唫社本斷句排印，版式倣古，四周雙邊，補注列詩後，正文有旁批，古樸可觀，讀者喜愛。今改正舊版個別誤字後再度重印，以應亟需。

中華書局編輯部　二〇〇三年十一月

唐詩三百首、爲蘅塘退士定本、風行海內、幾至家置一編、惜箋註太疏、讀者病之。上元陳伯英女史、手輯補註八卷、字梳句櫛、攷覈精嚴、能令讀者不假祭獺而坐獲食蹠、津逮初學、功匪淺鮮。第其書版藏李氏餐花閣中、坊間罕有其本、所以沾丐士林者恐未能徧也。爰取其書、重加釐訂、付之手民、以廣其傳。書中體例、悉仍其舊。惟少陵詠懷古蹟詩本五首、蘅塘止錄其二、不免絓漏、今刻仍爲補入、俾讀者得窺全豹。註則悉依杜詩鏡詮、未敢竄易一字焉。刻成、悉心讐校、尙無淮雨別風之謬、較餐花閣本似更精緻云。

光緒十一年仲夏月中浣四藤唫社主人識

上元伯英女史、余外孫李鏡緣世芬內也、爲陳叔艮觀察女。幼聰慧、喜讀書、叔艮鍾愛之、相攸綦嚴。適余姪倩李仲甫、以其尊人海颿先生官西蜀、僑寓金陵、因得爲鏡緣締婚焉。余時權兩淮鹺政、會晉省、得悉艮緣、知女史爲閨中之秀、然不意其能著述也。越數載、女史來歸鏡緣、迨余已移官海外。寓書問訊、於郵筒中獲睹女史詩詞、爲欣賞者久之。余左遷西蜀、道出里門、鏡緣亦歸里、見其案頭有補註唐詩、詢知爲伯英女史所輯、考核援引、俱能精當、殆所謂讀書難字過者歟。屬付棗梨、津逮初學。鏡緣則遜謝不遑、爲不欲爲詅癡符比也。余謂不然、自古註書、得之閨閣者恆鮮、而精當尤難、茲所補註、倩梓人傳之、亦一時佳話也。余老矣、且遠處西陲、是刻之成、尤以先覩爲快、鏡緣誌之。其終韙余言、是則老人之殷盼也夫。

道光二十四年嘉平月石甫老人姚瑩書

蘅塘退士原序

世俗兒童就學、卽授千家詩、取其易於成誦、故流傳不廢。但其詩隨手掇拾、工拙莫辨、且止五七律絶二體、而唐宋人又雜出其間、殊乖體製。因專就唐詩中膾炙人口之作、擇其尤要者、每體得數十首、共三百餘首、錄成一編、爲家塾課本、俾童而習之、白首亦莫能廢、較千家詩不遠勝耶。諺云、熟讀唐詩三百首、不會吟詩也會吟。請以是編驗之。

凡例

一、是書名曰補註、但詮實事、以資檢閱。若詩中義蘊之深、意境之妙、讀者宜自領取、無庸強就我範、曲爲之說、反汨初學性靈也。識者鑒諸。

一、取證之書、當以最先者爲主。自王逸註離騷於玄圃引淮南子、李善註洛神賦之遠游履引繁欽定情詩、使後人藉口。至近世箋唐詩者、遂有引宋人詩爲證、且雜以俗語、殊乖體例、茲編援引、未敢效尤。

一、是編引註之義有二、凡詩中用事、卽引本事以證之者爲正註。至尋源遡流、博采他書以相證者爲互註。正註非陳隋以上之書不列於篇、而互註則自唐宋及明、間爲采入、然必有按某書某某云字樣以別之、終不敢以口吻爲策府也。

一、詩中有誤用事者、如少伯之龍城飛將是也。有借用事者、如右丞之衞青天幸是也。諸如此類、不可枚舉。今誤者辨之、借者證之、非如宋元諸人、竄易古書、爲之立解。

一、詩中字有疑誤、必索古本訂正、其無可參訂者、則云當作某字、字有兩可者、則云一作某字、或云某本作某字。至於點畫訛舛、魯魚混淆、則寄目以視、假腕以書、亦不能保其必無也。尙冀世之君子是正焉。

一、詩人爵里姓氏、原書闕註、今博覽史傳諸書、更爲廣註、俱列於諸公詩之初見者題上、俾讀是公詩卽得梗概。其餘行事、有關於詩、則隨篇分附、此不備載。

一、凡詩中所詠邑里山川古蹟、必稽之前籍、參以唐誌、又實以明地誌及大清一統志。蓋陵谷既遷、名號數易、非本諸唐誌則不知所自來、非證以今名則不復可尋考、兼而列之、庶幾覽古之一助。閱者幸不以妄引後世書傳概之。

一、凡宋元明諸家詩話、有關詞義、間采一二。他如品隲高下、較量淺深等語、概置弗錄。正以是編專註而未及評解、雕龍之論、姑俟異日。

一、詩中有一事屢見者、設俱爲繁引、未免詞複言重。今凡有事已見前者、後不復贅、間有重見者、引用之字面雖同、而引證之字義要自有辨。

一、是書原刻旁批、往復周詳。有譏其淺陋者、然意在啓迪初學、並非概語宏通、其誘掖苦心、不可沒也。今悉仍之。

上元女史陳婉俊識

憶晉蕃初識之無、姊伯英卽教以唐詩三百首、逮稍長、姊方事補註、間爲指陳典實、始知作詩不可一字無來歷、讀詩不可一字不考核也。歲壬子、姊歸桐城、晉蕃尋避地寄瀨邑、春朝秋夜、感事輿懷、偶事詠吟、以不覩補註唐詩爲惜。乙卯冬、鏡緣姊丈偕姊來瀨、歡敘之餘、悉唐詩三百首補註未遭兵燹、且有增帙焉。急索而讀之。博引旁徵、字梳句櫛、罄胸藏之積軸、更益新裁、溯口授於曩年、如逢故我、覺郝天挺註唐詩鼓吹、尚嫌簡陋、高士奇註三體唐詩、無此清整、吾家信有秀才、何必效闞氏之誇進士也。爰事讎校、請付棗梨、雖莫當考古之資、庶足爲發蒙之助云。同懷弟康侯陳晉蕃謹跋。

唐詩三百首目錄

卷一　五言古詩

樂府

卷二　七言古詩

卷四　七言樂府

卷五　五言律詩

卷六　七言律詩

樂府

卷七　五言絕句

樂府

卷八　七言絕句

樂府

唐詩三百首補註卷一

五言古詩

張九齡 九齡、字子壽、韶州曲江人。七歲知屬文、擢進士、始調校書郎、玄宗即位遷右補闕、進中書侍郎。母喪奪哀、拜同平章事。卒謚文獻。

感遇 唐音注、感遇云者、謂有感於心而寓於言、以攄其意也。

蘭葉春葳蕤、桂華秋皎潔。欣欣此生意、自爾爲佳節。誰知林棲者、聞風坐相悅。草木有本心、何求美人折。

葳蕤 字典、蕤、儒佳切、音甤。說文、草木華垂貌。王粲詩、昊天降豐澤、百卉挺葳蕤。 欣欣 陶潛歸去來辭、木欣欣以向榮、泉涓涓而始流。 生意 世說、桓玄敗後、殷仲文還爲大司馬咨議、意似二三、非復往日。大司馬廳前有一老槐、甚扶疏、殷因月朔與衆在廳、視槐良久、歎曰、槐樹婆娑、無復生意。 佳節 曹植表、一〻陽佳節。 林棲 曹毗對儒、不進林棲之迹、不希抱鱗之龍。 本心 魏志管寧傳、豈自遭之而違本心哉。

江南有丹橘、經冬猶綠林。豈伊地氣暖、自有歲寒心。可以薦嘉客、奈何阻重深。運命唯所遇、循環不可尋。徒言樹桃李、此木豈無陰。

江南丹橘 楚辭、后皇嘉樹、橘徠服兮、受命不遷、生南國兮。王逸注、橘受天命生於南國。吳都賦、其果則丹橘餘甘、荔枝之林。 經冬綠 李尤七歎、梁土清塵、盧橘是生、白華綠葉、扶疎冬榮。地氣暖周禮冬官、橘踰淮而北爲枳、此地氣然也。曹植橘賦、背江洲之暖氣。歲寒論語、歲寒然後知松柏之後凋也。李元操詠橘詩、能守歲寒心。嘉客詩經、所謂伊人、于焉嘉客。劉楨詩、蘋藻生其涯、華葉紛擾溺。采之薦宗廟、可以羞嘉客。重深魯靈光殿賦、東序重深而奧秘。運命李康論、夫治亂、運也、窮達、命也。循環史記高祖紀贊、三王之道若循環、終而復始。謝靈運詩、四時循環轉、寒暑自相承。無陰吳都賦、椰葉無陰。韓詩外傳、春樹桃李、夏得陰其下、秋得食其實。

李白　白、字太白。母夢長庚星而生。通詩書、喜縱橫術、擊劍爲任俠。天寶初、賀知章言於玄宗、有詔供奉翰林。因失意於貴妃、賜金放還。祿山反、永王璘節度東南、迫致之、及璘敗、白坐繫潯陽獄、流夜郎、以赦得釋。代宗以左拾遺召、而白已卒。年六十四。

下終南山過斛斯山人宿置酒

四句下山。

暮從碧山下、山月隨人歸。却顧所來徑、蒼蒼橫翠微。相攜及田家、童過斛斯山人。稚開荊扉。綠竹入幽徑、青蘿拂行衣。歡言得所憩、宿置酒。美酒聊共揮。長歌吟松風、曲盡河星稀。我醉君復樂、陶然共忘機。

終南山元和郡縣志、終南山在雍州萬年縣南五十里。太平寰宇記、終南山在鄠縣南三十里。雍錄、終南山橫亘關南面、西起秦隴、東徹藍田、凡雍岐郿鄠、長安萬年、相去且八百里、而連峙據其南者、皆此一山也。一統志、終南山在西安府南五十里。斛斯通志氏族略、代北複姓有斛斯氏、其先居廣牧、世襲勿莫大人號、部因氏焉。翠微爾雅、山未及上、翠微。疏謂、未及頂上、在旁陂陀之處名翠微。一說山氣青縹色、故曰翠微也。荊扉沈約詩、荊扉且新故。

李周翰註、荊扉、以荊爲扉也。所憩詩召南、召伯所憩。注、憩、音器、息也。共揮曲禮、飲玉爵者弗揮。注、振去餘酒曰揮。松風風俗通、河間雜歌二十一章、內有風入松曲。陶然陶潛詩、揮茲一觴、陶然自樂。

月下獨酌

花間一壺酒、獨酌無相親。舉杯邀明月、對影成三人。題本獨酌、詩偶幻出三人。月影伴說、反覆推勘、愈形其獨。月既不解飲、影徒隨我身。暫伴月將影、行樂須及春。我歌月徘徊、我舞影零亂。醒時同交歡、醉後各分散。永結無情遊、相期邈雲漢。

月徘徊曹植詩、明月照高樓、流光正徘徊。邈離騷、神高馳之邈邈。雲漢詩棫樸章、倬彼雲漢、爲章于天。注、雲漢、天河也。

春思

燕草如碧絲、秦桑低綠枝。當君懷歸日、承燕草。是妾斷腸時。承秦桑。春風不相識、何事入羅幃。

燕草秦桑按、蕭士贇云、燕北地寒生草遲、當秦桑低綠之時、燕草方生。羅幃古樂府、微風吹閨闥、羅幃自飄揚。

杜甫

甫、字子美、襄陽人。舉進士不第、因遊長安。玄宗朝奏賦三篇、帝奇之、使待制集賢院、數上賦頌、高自稱道。肅宗拜右拾遺。坐房琯事、出爲華州司功。屬飢亂、棄官客秦州、負薪采橡栗自給。流落劍南、嚴武表爲參謀檢校工部員外郎、往來夔梓間。大曆中、客耒陽。一夕、大醉、卒。年五十九。有集六十卷。

望嶽

岱宗夫如何、（字字是望。）齊魯青未了。造化鍾神秀、陰陽割昏曉。盪胸生層雲、決眥入歸鳥。會當凌絕頂、（結明望字。）一覽衆山小。

岱宗（虞書、東巡狩至于岱宗。五經通義、宗、長也、爲羣嶽之長也。前漢郊祀志、岱宗、泰山也。按、泰山、在山東泰安州。）齊魯（史記、泰山之陽則魯、其陰則齊。）割（老子、大制不割。割、分也。）盪胸（馬融廣成頌、動盪胸臆。）雲（公羊傳、觸石而出、膚寸而合、不崇朝而徧天下者、泰山之雲也。）決眥（子虛賦、弓不虛發、中必決眥。公借用謂人目眥決裂入鳥之歸處。）

贈衛八處士

人生不相見、動如參與商。今夕復何夕、共此燈燭光。少壯能幾時、鬢髮各已蒼。訪舊半爲鬼、驚呼熱中腸。焉知二十載、重上君子堂。昔別君未婚、兒女忽成行。怡然敬父執、問我來何方。問答未及已、兒女羅酒漿。夜雨剪春韭、新炊間黃粱。主稱會面難、一舉累十觴。十觴亦不醉、感子故意長。明日隔山岳、世事兩茫茫。

衛八處士（按、唐拾遺記、公與李白、高適、衛賓相友善、時賓年最少、號小友、此當是也。）參商（左傳、子產曰、昔高辛氏有二子、伯曰閼伯、季曰實沈、居於曠林、不相能也。日尋干戈、以相征討。后帝不臧、遷閼伯於商丘、主辰、商人是因、故辰爲商星。遷實沈於大夏、主參、唐人是因、以服事夏商、故參爲晉星。按、商星居東方卯位、參星居西方酉位、此出彼沒、永不相見。曹植與吳質書、別有參商之闊。今夕何夕詩經、今夕何夕、見此良人。半爲鬼魏文帝與吳質書、昔年疾疫、親故多離其災、觀其姓名、已登鬼錄矣。中腸阮籍詩、傾城迷下蔡、容好結中腸。剪韭郭林宗別傳、林宗有友人夜冒雨至、剪韭作炊餅食之。黃粱爾雅、黃粱穗大毛長、米殼俱麤於白粱。會面古詩、道路阻且長、會面安可知。

佳人

絕代有佳人、幽居在空谷。自云良家子、零落依草木。關中昔喪亂、兄弟遭殺戮。官高何足論、不得收骨肉。世情惡衰歇、萬事隨轉燭。以上敘佳人之遭遇。以下寫佳人之志節。夫壻輕薄兒、新人美如玉。合昏尚知時、鴛鴦不獨宿。但見新人笑、那聞舊人哭。在山泉水清、出山泉水濁。侍婢賣珠迴、牽蘿補茅屋。摘花不插髮、采柏動盈掬。天寒翠袖薄、日暮倚修竹。

絕代李延年歌、北方有佳人、絕世而獨立。空谷詩、皎皎白駒、在彼空谷。良家子史記外戚世家、竇姬以良家子入宮侍太后。關中禹貢雍州之域、天文鬼井分野、周王畿地、秦曰關中。卽今西安府。漢書注、自函關以西、總名關中。轉燭庾肩吾詩、聊持轉風燭、暫照廣陵琴。惡作去聲。輕薄兒沈約詩、洛陽繁華子、長安輕薄兒。合昏風土記、合昏、槿也。華晨舒而昏合。本草、合歡、卽夜合也。人家多植庭除、一名合昏。鴛鴦梁元帝鴛鴦賦、豈如鴛鴦相逐、俱棲俱宿。鄭氏昏禮謁文贊、鴛鴦鳥雌雄相類、飛止相匹。按、雄名曰鴛、雌名曰鴦。江總詩、池上鴛鴦不獨宿。清濁按、守正清而改節盈掬詩、終朝采綠、不盈一掬。濁也。

夢李白 二首

死別已吞聲、生別常惻惻。江南瘴癘地、逐客無消息。故人入我夢、明信其眞。我長相憶。恐非平生魂、疑其眞。路遠不可測。又信其是。魂來楓林青、其來畢竟無疑。魂返關塞黑。其去恐有不測。君今又疑其非。在羅網、何以有羽翼。落月滿屋梁、猶疑照顏色。水深波浪闊、無使蛟龍得。

浮雲終日行、遊子久不至。三夜頻夢君、情親見君意。告歸常侷促、苦六句夢中情景。道來不易。江湖多風波、舟楫恐失墜。出門搔白首、若負平生志。冠蓋六句醒後悲懷。滿京華、斯人獨顦顇。孰云網恢恢、將老身反累。千秋萬歲名、寂寞身後事。

李白　李白集序、天寶十五年、白臥廬山、永王璘迫致之。璘軍敗、白坐繫潯陽獄得釋。乾元元年、終以汚璘事、長流夜郎、遂泛洞庭、上峽江至巫山、以赦得釋。又按、本傳、坐永王璘事、長流夜郎、會赦還潯陽、坐事下獄。時宋若思將吳兵赴河南、道經潯陽、釋囚、辟爲參謀。集中有贈中丞宋公五排詩序其事。吞聲江淹恨賦、自古皆有死、莫不飲恨而吞聲。**惻惻** 寡婦賦、庶浸遠而哀降。情惻惻而彌甚。**瘴癘** 南史任昉傳、流離大海之南、寄命瘴癘之地。孫萬壽詩、江南瘴癘地、從來多逐臣。**逐客** 史記秦始皇紀、十年、大索逐客、李斯上書說、乃止逐客令。**楓林** 招魂、湛湛江水兮、上有楓林。極目千里兮、傷春心。魂兮歸來、哀江南。**羅網** 後漢書鄧皇后紀、先君既以武功書之竹帛、兼以文德敎化子孫、故能束脩不觸羅網。**屋梁** 神女賦、其始來也、耀乎若白日初出照屋梁、其少進也、皎若明月舒其光。**偪促** 史記灌夫傳、上怒曰、公平日數言魏其武安短、今日廷論、偪促效轅下駒。**失墜** 後漢書梁統傳、宣帝聰明正直、總御海內、臣下奉憲、無所失墜。**冠蓋** 班固西都賦、冠蓋如雲、七相五公。**顦顇** 楚辭漁父辭、屈原既放、游於江潭、行吟澤畔、顏色顦顇、形容枯槁。按、顦顇、亦作憔悴。**恢恢** 老子、天網恢恢、疏而不漏。**千秋萬歲** 阮籍詩、千秋萬歲後、榮名安所之。**身後** 庾信詩、眼前一杯酒、誰論身後名。

王維

維、字摩詰、太原人。九歲知屬辭。開元九年擢進士第一、官給事中。兩都陷、爲賊所得、服藥佯瘖。賊平定罪、以凝碧池詩聞於行在、特宥之。官至尚書右丞。工草隷、善畫、名盛於開元天寶間。寧薛諸王、待若師友。有別墅在輞川、嘗與裴迪遊其中、賦詩爲樂。喪妻不娶、孤居三十年、上元初卒。

送綦毋潛落第還鄉

從赴試起。

聖代無隱者、英靈盡來歸。遂令東山客、不得顧採薇。既至金門遠、孰云吾道非。（四句落第。）江淮度寒食、京洛縫春衣。置酒長安道、同心與我違。（四句還鄉。）行當浮桂棹、未幾拂荊扉。遠樹帶行客、孤城當落暉。（四句送行。）吾謀適不用、勿謂知音稀。

英靈 隋書、李德林美容儀、善談吐、天統中兼中書侍郎、於賓館受國書、陳使江總目送之曰、此河朔之英靈也。 東山 晉書謝安傳、安、字安石、尚從弟也。始有東山之志、居會稽與王羲之及高陽許詢桑門支遁游處、出則漁弋山水、入則言詠屬文、雖受朝寄、然東山之志、始末不渝、每形於言色。又中丞高崧曰、卿屢違朝旨、高臥東山。 采薇 史記、武王既平殷亂、伯夷叔齊恥食周粟、隱於首陽山、采薇而食。 金門 解嘲、今吾子幸得應金門、上玉堂有日矣。注、金門、金馬門也、宦署門傍有銅馬、故謂之金馬門也。 吾道非 史記孔子世家、詩云、匪兕匪虎、率彼曠野、吾道非耶、吾何爲于此。 寒食 荊楚歲時記、去冬至一百五日、即有疾風甚雨、謂之寒食、禁火三日、造餳大麥粥。按、并州俗、冬至後一百五日、爲介子推斷火冷食三日。 京洛 班固東都賦、子徒習秦阿房之造天、而不知京洛之有制。按、京洛、東京洛陽也。 同心 易、二人同心、其利斷金。 桂棹 楚辭、桂棹兮蘭枻。注、棹、楫也。 吾謀適不用 左傳、子無謂秦無人、吾謀適不用也。 知音 古詩、不惜歌者苦、但傷知音稀。

送別

下馬飲君酒、問君何所之。君言不得意、歸臥南山陲。但去莫復問、白雲無盡時。

陲 陲、音垂。說文、邊也、疆也。左傳、成十三年、虔劉我邊陲。韻會、本作垂。爾雅釋詁、疆界邊衞圉、垂也。

青谿

言入黃花川、每逐青溪水。隨山將萬轉、趣途無百里。聲喧亂石中、（聞。）色靜深松裏。（見。）漾漾汎菱荇、（溪中。）澄澄映葭葦。（溪上。）我心素已閒、清川澹如此。請留盤石上、垂釣將已矣。

青谿 水經注、沮水南經臨沮縣西、青谿水注之。 黃花川 杜氏通典、鳳州黃花縣有黃花川。方輿勝覽、黃花川在鳳州梁泉縣、大散水流入黃花川。 心閒 遊天台山賦、遊覽既周、體靜心閑。 盤石 成公綏嘯賦、坐盤石漱清泉。注、聲類曰、盤、大石也。

渭川田家

斜陽照墟落、窮巷牛羊歸。野老念牧童、倚杖候荊扉。雉雊麥苗秀、蠶眠桑葉稀。田夫荷鋤至、相見語依依。即此羨閒逸、悵然吟式微。

渭川 水經注、渭水出首陽縣鳥鼠山、西北有渭源城、渭水出焉。漢書貨殖傳、齊魯千畝桑麻、渭川千畝竹。 墟落 范雲詩、軒蓋照墟落。註、墟落、謂村墟籬落。 雉雊 潘岳射雉賦、麥漸漸以擢芒、雉鷕鷕而朝雊。鄭康成毛詩箋、雊、雉鳴也。 蠶眠 庾信燕歌行、春風燕來能幾日、二月蠶眠不復久。注、蠶將蛻、輒臥不食、人謂之俯、後人謂之眠。 古 荷鋤 陶潛詩、帶月荷鋤歸。 式微 子貢詩傳、狄侵黎、黎侯出奔、衞穆公不禮焉、黎人怨之、賦旄丘、黎大夫勸其君以歸國、賦式微。詩、式微式微胡不歸。

西施詠

艷色天下重、西施甯久微。朝爲越溪女、暮作吳宮妃。賤日豈殊衆、貴來方悟稀。邀人傅脂粉、不自著羅衣。君寵益嬌態、君憐無是非。當時浣紗伴、莫得同車歸。持謝鄰家子、效顰安可希。

西施　吳越春秋、越得苧蘿山鬻薪之女、曰西施、鄭旦、飾以羅縠、教以容步、三年學成而獻於吳。　傅粉　史記、孝惠時、郎侍中皆傅脂粉。　浣紗　寰宇記、會稽縣東有西施浣紗石。水經注、浣紗溪在荆州、爲夷陵州西北、秋冬之月、水色淨麗。　效顰　莊子、西子病心而顰、其里之醜人見而美之、歸亦捧心而效其顰、富人見之、閉門而不出、貧人見之、挈妻子而去之、彼知美顰而不知顰之所以美。按、顰古作矉。

孟浩然　名浩、字浩然、以字行、襄州襄陽人。少好節義、喜振人患難。隱鹿門山、年四十乃遊京師。嘗於太學賦詩、一座嗟服無敢抗。張九齡王維雅稱道之。維私邀入內署、俄而玄宗至、浩然匿床下、維以實對、帝喜曰、朕聞其人而未見也、何懼而匿。詔浩然出、帝問其詩、浩然再拜、自誦所爲、至不才明主棄之句、帝曰、卿不求仕而朕未嘗棄卿、奈何誣我。因放還。張九齡爲荆州、辟置于府、府罷、開元末、病疽背卒。

秋登蘭山寄張五

北山蘭山。白雲裏、隱者自怡悅。相望試登高登山。、心隨雁飛滅遠望。。愁因薄暮起、興是清秋發。時見歸村人下山。、沙行渡頭歇。天邊樹若薺、江畔洲如月近見。。何當載酒來寄張。、共醉重陽節。

蘭山名山記、石門山在慶符縣治南、下瞰石門江、林薄間多蘭、有春蘭、秋蘭、石蘭、竹蘭、素蘭、鳳蘭、一名蘭山。怡悅陶宏景答詔問山中何所有詩、山中何所有、嶺上多白雲。只可自怡悅、不堪持贈君。登高齊民月令、重陽日必以糕酒登高眺迥、以暢秋志、採茱萸甘菊泛酒。樹若薺顏氏家訓、羅浮山記云、望平地樹如薺。故戴嵩詩云、長安樹如薺。後有詠樹詩云、遙望長安薺。此耳學之誤。重陽載酒續晉陽秋、陶潛嘗九日無酒、坐宅邊東籬下菊叢中、摘菊盈把、未幾、望見白衣人至、乃刺史王宏送酒也。

夏日南亭懷辛大

山光忽西落、池月漸東上。散髮乘夕涼、夏日。開軒臥閑敞。南亭。荷風送香氣、氣。竹露滴清響。聲。欲取鳴琴彈、懷辛。恨無知音賞。感此懷故人、終宵勞夢想。

閑敞南都賦、體爽塏以閑敞。廣韻、敞、露舍也、屋無壁也。知音呂氏春秋、伯牙鼓琴、鍾子期善聽之。方鼓琴、志在太山、子期曰、善哉乎鼓琴、巍巍乎如太山。志在流水、子期曰、善哉鼓琴、洋洋乎若流水。子期死、伯牙擗琴絶絃、終身不復鼓琴、以為世無足知音者也。夢想司馬相如長門賦、忽寢寐而夢想兮、魂若君之在旁。

宿業師山房待丁大不至

夕陽度西嶺、起宿意。羣壑倏已暝。見。松月生夜涼、風泉滿清聽。聞。樵人歸欲盡、烟鳥棲初定。之子期宿來、待丁不至。孤琴候蘿逕。

之子 詩、之子于歸。注、之子、是子也。

王昌齡 昌齡、字少伯、江寧人。第開元十五年進士、補秘書郎、遷氾水尉。晚節不矜細行、貶龍標尉、以亂還鄉、爲刺史閭丘曉所殺。

同從弟南齋翫月憶山陰崔少府

高臥南齋時、開帷月初吐。四句玩月。清輝澹水木、演漾在窗戶。荏苒幾盈虛、澄澄變今古。憶崔。美人清江畔、山陰。是夜越吟苦。千里共如何、微風吹蘭杜。

山陰 漢地理志、山陰、會稽郡縣。演漾 阮籍詠懷詩、洸洸乘輕舟、演漾惟所望。荏苒 晉書李暠傳、時移節邁、荏苒三年。陶潛詩、荏苒經十載、暫爲人所羈。澄 謝莊月賦、降澄輝之靄靄。越吟 史記、越人莊舄仕楚執珪、有頃、病、楚王曰、舄思越則越聲、不思越則且楚聲。往聽之、則猶尚越聲也。王粲登樓賦、莊舄顯而越吟。庾信哀江南賦、吳歈越吟、荊豔楚舞。千里 謝莊月賦、美人邁兮音塵絕、隔千里兮共明月。蘭杜 江孝嗣詩、石蘭杜向含風。

丘爲 爲、蘇州嘉興人。事繼母孝、常有靈芝生於堂下。累官太子右庶子、時年八十餘而母無恙。給奉祿之半。初還鄉、縣令謁之、爲候門磬折、令坐乃拜、里胥立庭下、既出乃敢坐。經縣署降馬而趨。卒年九十六。

尋西山隱者不遇

絕頂一茅茨、尋。直上三十里。扣關無僮僕、下遇。窺室惟案几。若非巾柴車、陸路。應是釣秋水。（水路。）差池不相見、黽俛空仰止。草色新雨中、松聲晚窗裏。及茲契幽絕、自足蕩心耳。雖無賓主意、頗得清淨理。興盡方下山、（上山起、下山結。）何必待之子。

茅茨 史記、堯舜采椽不斲、茅茨不翦。注、茅茨、茅蓋屋也。**巾車** 左傳、子產曰、文公之爲盟主也、諸侯賓至、車馬有所、巾車脂轄。按、周禮、巾車、注、巾、猶衣也。巾車、車官之長。孔子息陬操、巾車命駕、將適唐都。**柴車** 高士傳、何點常躡草屩、乘柴車。江淹擬陶詩、日暮巾柴車。**差池** 燕燕于飛、差池其羽。注、差池、不齊之貌。左傳、鄭公孫僑曰、謂我敝邑、邇在晉國、譬諸草木、吾臭味也、而何敢差池。**仰止** 詩、高山仰止、景行行止。**與盡** 語林、王子猷居山陰、大雪、夜眠覺、開室酌酒、四望皎然、因起彷徨、詠左思招隱詩。忽憶戴安道、時戴在剡溪、即便夜乘輕船就戴、經宿方至、既造門、不前便返。人問其故、子猷曰、吾本乘興而行、興盡而返、何必見戴。

綦毋潛

綦毋潛、字孝通、開元中由宜壽尉入爲集賢院待制、遷右拾遺、終著作郎。

春泛若耶溪

幽意無斷絕、此去隨所偶。晚風吹行舟、（泛。）花路入溪口。（春。）際夜轉西壑、隔山望南斗。潭烟飛溶溶、林月低向後。生事且瀰漫、願爲持竿叟。

若耶溪 水經注、若耶溪水、上承嶕峴麻溪。溪之下孤潭周數畝、麻潭下注若耶溪、水至清、照衆山倒影、窺之如畫。寰宇記、若耶溪在會稽縣東二十八里。

南斗（越絶書、越故治、今大越山陰南斗也。張衡周天大象賦、眺北宮于玄武、泊南斗于牽牛。）

常建（建、開元十五年進士、官盱眙尉。）

宿王昌齡隱居

清谿深不測、隱處惟孤雲。（隱居。）松際露微月、清光猶爲君。（宿王。）茅亭宿花影、藥院滋苔紋。余亦謝時去、（因宿起見。）西山鸞鶴羣。

謝時（列仙傳、王喬、周靈王太子晉也。好吹笙、作鳳鳴、遊伊洛間、遇道士浮邱公、接以上嵩山、三十餘年後、見柏良謂曰、可告我家、七月七日待我於緱氏山頭、至期、果乘白鶴駐山頭、望之不得到、舉手謝時人、數日乃去。）鸞鶴（稽神記、裴航傭巨舟、載于襄漢、同載有樊夫人者、國色也、航賂侍婢達詩曰、儻若玉京朝會去、願隨鸞鶴入青冥。）

岑參（參、南陽人、天寶中進士、試大理評事、攝監察御史、杜甫薦之、轉右補闕、累遷侍御史、出爲嘉州刺史。）

與高適薛據登慈恩寺浮圖

塔勢如湧出、孤高聳天宮。（先從下望。）登臨出世界、磴道盤虛空。（四句登。）突兀壓神州、崢嶸如鬼工。四角礙白日、七層摩蒼穹。（二句到頂。）下窺指高鳥、俯聽聞驚風。（此從上臨下。）連山若波濤、奔走似朝東。（八句四方之景。東。）青槐夾馳道、宮觀何玲瓏。（南。）秋色從西來、（西。）蒼然滿關中。五陵北原上、萬古青濛濛。淨理了可悟、勝因夙所宗。誓將挂冠去、覺道資無窮。

高適見下。薛據荊南人、官太子司議郎。慈恩寺塔長安志、慈恩寺、隋無漏寺故地。高宗在東宮時、爲文德皇后立、故名慈恩。浮圖、永徽三年沙門玄奘所立、後漸頹。長安中改建。寺塔記、慈恩寺凡十餘院、總一千八百九十七間。湧出法華經、佛前七寶塔、高五百由旬、出地湧出、住在空中。世界金剛經、三千大千世界。神州河圖括地志、崑崙東南、地方五千里、名曰神州、中有五山、帝王居之。唐書禮樂志、孟冬祭神州地祇於北郊。左思詩、皓天舒白日、靈景耀神州。崢嶸左思賦、徑三峽之崢嶸、躡五屼之蹇滻。朝東詩、沔彼流水、朝宗于海。神仙傳、麻姑入拜、王方平曰、接侍以來、見東海三爲桑田。馳道史記秦始皇紀、二十七年賜爵一級、治馳道。注、應劭曰、馳道、天子道也。五陵西都賦、北眺五陵。李善注、高帝葬長陵、惠帝葬安陵、景帝葬陽陵、武帝葬茂陵、昭帝葬平陵。挂冠後漢逸民傳、王莽時、逢萌解冠、挂東城門歸、將家屬浮海。

元結字次山、瀼州人。天寶十二載舉進士、國子司業蘇源明見肅宗、薦結可用、召議京師、上時議三篇、擢右金吾兵曹參軍、攝監察御史、爲山南西道節度參謀、以討賊功遷監察御史裏行節度。呂諲請益兵拒賊、帝進結水部員外郎、佐諲府、又參山南東道來瑱府、瑱誅、結攝領府事。代宗立、固辭丐侍親、歸樊上、授著作郎、久之拜道州刺史、進授容管經略使、身諭蠻豪、綏定八州。會母喪、人皆詣節度府請留、加金吾衞將軍。所至立教愛民。著有元子十篇、卒贈禮部侍郎。

賊退示官吏
代宗廣德元年。

癸卯歲、西原賊入道州、焚燒殺掠、幾盡而去。明年、賊又攻永破郡、不犯此州邊鄙而退、豈力能制敵與、蓋蒙其傷憐而已。諸使何爲忍苦徵斂、故作詩一篇以示官吏。

昔年逢太平、山林二十年。泉源在庭戶、洞壑當門前。井稅有常期、日晏猶得眠。忽然遭世變、數歲親戎旃。今來典斯郡、山夷又紛然。城小賊不屠、人貧傷可憐。是以陷鄰境、此州獨見全。使臣將王命、豈不如賊焉。今被徵斂者、迫之如火煎。誰能絶人命、以作時世賢。思欲委符節、引竿自刺船。將家就魚麥、歸老江湖邊。

西原賊　唐書元結傳、代宗拜結道州刺史。初、西原蠻掠居人萬數去、遺戶裁四千、諸使調發符牒二百函、結以人困甚、不忍加賦、即上言、臣州爲賊焚破、糧儲屋宇、男女牛馬幾盡。今百姓十不一在、耋孺騷離、未有所安、請免百姓所負租稅及租庸使和市雜物十三萬緡、帝許之。明年、租庸使索上供十萬緡、結又奏、歲正租庸外、所率宜以時增減、詔可。結爲民營舍給田、免徭役、流亡歸者萬餘。

井稅　詩、歲取十千。注、九夫爲井、井稅一夫、其田百畝。孟子、耕者九一。注、九一者、井田之制也。方一里爲一井、其田九百畝、中畫井字、界爲九區、一區之中、爲田百畝、中百畝爲公田、外八百畝爲私田、八家各受私田百畝、而同養公田、是九分而稅其一也。

戎旃　齊書謝朓傳、契闊戎旃、從容讌語。

符節　孟子、若合符節。注、符節以玉爲之、刻文字而中分之、彼此各藏其半、有故則左右相合、以爲信也。漢書、符節注、符節者、如今宮中諸官之詔符也。

韋應物

應物、京兆長安人。少以三衞郎事明皇、後折節讀書、屢任爲滁州刺史、改江州、入爲左司郎中、復出爲蘇州刺史。貞元中尚存。按、其年百餘歲矣。爲郎一時似近豪俠、至後鮮食寡欲、焚香掃地而坐。詩品高潔、朱子謂其無一字造作、氣象近道、真傳人也。而新舊唐書俱不爲之立傳、何耶。

郡齋雨中與諸文士燕集

兵衞森畫戟、燕寢凝清香。海上風雨至、逍遙池閣涼。煩疴近消散、嘉賓復滿堂。自慚居處崇、未覩斯民康。理會是非遣、性達形迹忘。鮮肥屬時禁、蔬果幸見嘗。俯飲一杯酒、仰聆金玉章。神歡體自輕、意欲凌風翔。吳中盛文史、羣彥今汪洋。方知大藩地、豈曰財賦強。

郡齋 按、貞元初、應物爲蘇州刺史。 兵衞 戰國策、宗族甚盛、居處兵衞甚設。 畫戟 唐盧坦傳、舊制官階俱三品、始聽立戟。按、戟音棘、格也、旁有枝格也、雙枝爲戟、單枝爲戈。 疴 疴、亦作痾、病也。潘岳閑居賦、舊痾始痊。 民康 曹植七啓、散樂移風、國富民康。 是非 列子、橫心之所念、橫口之所言、不知我之是非利害歟、亦不知彼之是非利害歟。 形迹 陶潛詩、誰爲形迹拘。 金玉 抱朴子、三墳金玉。 凌風翔 古詩、焉得凌風飛。阮籍詩、揮袖凌虛翔。 吳中 史記、項梁嘗殺人、與籍避仇吳中。 汪洋 劉孝威詩、風神灑落、容止汪洋。 大藩 蕭慤詩、大藩連帝室。 財賦 書禹貢、底慎財賦。

初發揚子寄元大校書

悽悽去親愛、泛泛入烟霧。四句初發。歸棹洛陽人、殘鐘廣陵樹。十字作八層看。今朝此爲別、何處還相遇。四句寄元。世事波上舟、沿洄安得住。

揚子 一統志、鎮江府大江、卽揚子江也。一名京江、東注大海、北距廣陵。 校書 通典、校書郎、唐置八人、掌讎校典籍、爲文士起家之正選。 悽悽 劉惠連詩、悽悽留子言。 親愛 傅咸賦序、情相親愛、有如同生。 烟霧 古詩、紈扇如圓月、出自機中素。畫作秦王女、乘鸞入烟霧。 歸棹 梁簡文帝詩、悠悠歸棹入。 廣陵 志勝、廣陵、卽古揚州之域、其曰廣陵郡者、東漢及唐天寶間名。相沿於西漢之廣陵國也。 波上 三輔黃圖、鑿雲舟於波上。

寄全椒山中道士

今朝郡齋冷、忽念山中客。四句道士。澗底束荊薪、歸來煮白石。四句寄。欲持一瓢酒、遠慰風雨夕。落葉滿空山、何處尋行迹。

全椒 一統志、滁州有全椒縣、縣有神山、有洞極深、景物幽邃。 道士 釋名、人行大道曰道士。士者何、理也、身心順理、惟道是從、從道惟事、故曰道士。 郡齋 按、建中二年、應物出刺滁州。 荊薪 陶潛詩、荊薪代明燭。 白石 晉書鮑靚傳、靚學兼內外、明天文河洛書、爲南海太守、嘗行部、入海遇風、飢甚、取白石煮食之。 一瓢 論語、一簞食、一瓢飮。 行迹 陶潛詩、寂寂無行迹。

長安遇馮著

客從東方來、衣上灞陵雨。問客何爲來、采山因買斧。冥冥花正開、颺颺燕新乳。昨別今已春、鬢絲生幾縷。

馮著 按、全唐詩、注、馮著嘗受李廣州署爲錄事。 灞陵 漢書地理志、京兆尹縣、灞陵故芷陽、文帝更名。庾信詩、灞陵採樵路、成都賣卜錢。按、灞作霸。

夕次盱眙縣

落帆逗淮鎮、停舫臨孤驛。浩浩風起波、聞。冥冥日沉夕。見。人歸山郭暗、陸路。雁下蘆洲白。水路。獨夜憶秦關、聽鐘未眠客。

盱眙縣 一統志、盱眙縣在泗州城南七里、漢置屬臨淮郡、唐屬楚州。 逗 玉篇、逗、住也。 鎮 按、韻鑰、藩鎮、山鎮、皆取安重鎮壓之義。一統志、泗州有泗水鎮。 山郭 謝朓詩、還望青山郭。 蘆洲 鮑照詩、今日入蘆洲。考各本俱作蘆州。按、當作蘆洲、從王選本。 秦關 詩張華萧史、龍飛逸天路、鳳起出秦關。

東郊

吏舍跼終年、出郊曠清曙。楊柳散和風、近景。青山澹吾慮。遠景。依叢適自憩、止。緣澗還復去。行。微雨靄芳原、見。春鳩鳴何處。聞。樂幽心屢止、遵事跡猶遽。終罷斯結廬、慕陶直可庶。

吏舍 史記曹相國世家、相舍後園近吏舍。 叢 詩、葛覃注、灌木曰叢。 春鳩 曹植詩、春鳩鳴飛棟。 結廬 陶潛詩、結廬在人境、而無車馬喧。注、結、構也。按、全唐詩注、言當此之時、心以幽事爲樂、而輒復中止者、蓋遽以隱遯爲高、則猶嫌驟耳、然終當罷官而結廬也。平生企慕陶公、今而後其庶幾乎。

送楊氏女

永日方慽慽、出行復悠悠。女子今有行、大江泝輕舟。爾輩苦無恃、撫（此五字一篇之主。）念益慈柔。幼爲長所育、兩別泣不休。對此結中腸、義往難復留。（一筆收住。）自小（再申前說。）闕內訓、事姑貽我憂。賴茲托令門、任卹庶無尤。貧儉誠所尚、資從豈待周。孝恭遵婦道、容止順其猷。別離在今晨、見爾當何秋。居閑始自遣、臨感忽難收。歸來視幼女、零淚緣纓流。（應前作收、歸到幼女。）

慽慽　慽、音戚、或作慼、通作戚。說文、憂也。論語、小人長戚戚。陸機贈張士然詩、慽慽多遠念、行行遂成篇。有行　詩、女子有行、遠父母兄弟。無恃　詩小旻、無父何怙、無母何恃。義往　禮、女子二十而嫁、義當往也。內訓　後漢書班昭傳、作女誡七篇、有助內訓。無尤　尤、說文、過也、怨也。易、王臣蹇蹇、終无尤也。老子曰、夫惟不爭故無尤。按、无通作無。婦道　孟子、以順爲正者、妾婦之道也。纓　儀禮、主人入、親說婦之纓。注、纓、佩屬、以五采爲之、形如小囊、蓋女子十五時許嫁所佩、既嫁說之。親說、示纓爲己繫也。淚纓　郭璞游仙詩、悲來惻丹心、零淚緣纓流。

柳宗元

宗元、字子厚、河東人。貞元九年舉博學宏詞科、進授校書郎、累遷監察御史、擢禮部員外郎。順宗即位、王叔文得政、引入內政與計事。俄而叔文敗、坐貶永州司戶、放浪山水間、以詩文自娛。元和十年徙柳州刺史、時劉禹錫得播州、宗元謂播州非人所居、而夢得有親在堂、無母子俱往理、如不往、便爲母子永訣、願請於朝、以柳易播、會大臣爲禹錫奏改刺、改刺連州。宗元在柳州有善政、年四十七卒於官、柳州人以神事之。

晨詣超師院讀禪經

汲井漱寒齒、晨詣。清心拂塵服。閑持貝葉書、讀經。步出東齋讀。真源了無取、妄跡世所逐。遺言冀可冥、繕性何由熟。道人庭宇靜、超師院。苔色連深竹。日出霧露餘、青松如膏沐。澹然離言說、悟悅心自足。

汲井 謝靈運詩、激澗代汲井。 貝葉 西域傳、西域有貝多樹、國人以其葉寫經、故曰貝葉書。 真源 劉孝威詩、降道訪真源。 遺言 王粲詩、古人有遺言。 繕性 莊子、繕性於俗。注、繕、治也。 苔色 別賦、春宮閟此青苔色。 膏沐 詩衛風、豈無膏沐、誰適爲容。

溪居

久爲簪組束、幸此南夷謫。閑依農圃鄰、偶似山林客。曉耕翻露草、夜榜響溪石。來往不逢人、長歌楚天碧。

簪組 王勃秋日宴洛陽序、簪組盛而車馬喧、庭宇虛而筦絃亮。 南夷 楚辭九章、哀南夷之莫吾知兮。 農圃 北史甄琛傳、專事產業、躬親農圃。

榜 楚辭、齊吳榜以擊汰。注、榜、進船也。廣韻、榜人、舟人也。按、榜、北孟切、祊去聲。

樂府

漢書禮樂志、武帝定郊祀之禮、乃立樂府、采詩夜誦、有趙代秦楚之謳、以李延年爲協律都尉、多舉司馬相如等數十人造爲詩賦、略論律呂、以合八音之調。師古注、樂府之名、蓋始於此。按、李孝光、郭茂倩樂府詩序云、太原郭茂倩所輯樂府詩百卷、上采堯舜時謌謠、下迄於唐、而置次起漢郊祀、茂倩欲因以爲四詩之續耳。郊祀若頌、鐃歌鼓吹若雅、琴曲雜詩若國風、以其始漢、故題云樂府詩。樂府、教樂之官也、於殷曰瞽宗、周因殷、周官又有大司樂之屬、至漢乃有樂府名。茂倩雜取詩謠、不可以皆被之弦歌、且後人所作、弗中於古、率成於後心、猶錄而不削、其意或有屬也。

王昌齡

塞上曲

蟬鳴空桑林、八月蕭關道。出塞入塞寒、處處黃蘆草。從來幽幷客、皆共塵沙老。莫學游俠兒、矜誇紫騮好。

蕭關漢書匈奴傳、孝文十四年、匈奴入朝那蕭關。括地志、隴山關在原州、卽古蕭關。　幽幷漢書地理志、周既克殷、定官分職、改禹徐梁二州合之於雍青、分冀州之地以爲幽幷。隋書地理志、自古言勇俠者、皆推幽幷、然涿郡太原、自前代以來、皆多文雅之士。　紫騮古今樂錄、紫騮馬、蓋從軍久戍懷歸而作也。楊烱詩、俠客重周遊、金鞍控紫騮。

塞下曲

飲馬度秋水、水寒風似刀。平沙日未沒、黯黯見臨洮。昔日長城戰、咸好大喜功、到頭總是黃塵白骨。言意氣高。黃塵足今古、白骨亂蓬蒿。

飲馬陳琳飲馬長城窟詩、飲馬長城窟、水寒傷馬骨。按、注言、秦人苦長城之役也。臨洮漢書地理志、隴西郡臨洮縣。江淹上建平王書、西洎臨洮狄道、北距飛狐陽原。長城廣輿記、陝西有臨洮府、長城在府城西、秦始皇築。黄塵劉昶斷句、白雲滿彰來、黄塵暗天起。

李白

關山月

明月出天山、蒼茫雲海間。長風幾萬里、吹度玉門關。漢下白登道、胡窺青海灣。由來征戰地、不見有人還。戍客望邊邑、思歸多苦顏。高樓當此夜、歎息未應閑。

關山月樂府解題、關山月、傷別離也。蕭士贇曰、關山月者、樂府鼓角横吹十五曲之一。王褒詩、無復漢地關山月。天山漢書武帝紀、天漢二年、貳師將軍三萬騎出酒泉、與右賢王戰於天山。注、天山在西域蒲類國、去長安八千餘里、即祁連山也。匈奴謂天爲祁連。長風陸機詩、長風萬里舉。玉門關後漢書班超傳、超上疏曰、臣不敢望到酒泉郡、但願生入玉門關。注、玉門關屬燉煌郡、今沙州也、去長安三千六百里。白登漢書匈奴傳、冒頓圍高帝於白登七日。注、白登、臺名、去平城七里。括地志、朔州定襄縣、本漢平城縣、縣東北三十里有白登山、山上有臺名曰白登臺。青海北史吐谷渾傳、治伏俟城、在青海西十五里、青海周圍千餘里。潛確類書、洮州衞有青海、在洮州之西、周圍千里、中有小山、隋將段文振西征、逐虜於青海、即此。高樓徐陵關山月詩、思婦高樓上、當窗應未眠。

子夜吳歌

長安一片月、萬戶擣衣聲。秋風吹不盡、總是玉關情。何日平胡虜、良人（孟子、其妻歸告其妾曰、良人者、所仰望而終身也。正義、妻謂夫曰良人。）罷遠征。

子夜（唐書樂志、子夜歌者、晉曲也、晉有女子名子夜造此、聲過哀苦。樂府古題要解、後人因爲四時行樂詞、謂之子夜四時歌、吳聲也。）

長干行

妾髮初覆額、折花門前劇。郎騎竹馬來、遶牀弄青梅。同居長干里、兩小無嫌猜。十四爲君婦、羞顏未嘗開。低頭向暗壁、千喚不一回。十五始展眉、願同塵與灰。常存抱柱信、豈上望夫臺。十六君遠行、（時明皇幸西蜀、從行軍士、久而未歸。）瞿塘灩澦堆。五月不可觸、猿聲天上哀。門前遲行跡、一一生綠苔。苔深不能掃、落葉秋風早。八月蝴蝶黃、雙飛西園草。感此傷妾心、坐愁紅顏老。早晚下三巴、預將書報家。相迎不道遠、直至長風沙。

長干（吳都賦、長干延屬、飛甍舛互。注、建業南五里有山岡、其間平地、吏民雜居、號長干、中有大長干、小長干、皆相連。大長干在越城東、小長干在越城西。地有長短、故號大小長干。方輿勝覽、建康府有長干里、去上元縣五里、在秦淮南。樂府遺聲、都邑三十四曲中有長干里行。按、地下而廣曰干、庾信怨歌行、家住金陵縣前、嫁得長干少年。**劇**按、劇、音極、戲也。**竹馬**博物志、小兒五歲曰鳩車之戲、七歲曰竹馬之戲。**抱柱**莊子、尾生與女子期於梁下、女子不來、水至不去、抱柱而死。**望夫臺**按、蘇轍欒城集、望夫臺、在忠州南數十里。**瞿塘灩澦堆**一統志、瞿塘在夔州府城東、舊名西陵峽、乃三峽之門、兩崖對峙、中貫一江、灩澦堆當其口。太平寰宇記、灩澦堆周回二十丈、在夔州西南二百步、蜀江中心。瞿塘峽口、冬水淺、屹然露百餘尺、夏水漲、沒數十丈、其狀如馬、舟人不敢進。諺云、灩澦大如馬、瞿塘不可下、灩澦大如襆、瞿塘不可觸。**緑苔**江總詩、自悲行處緑苔生、何悟啼多紅粉落。**蝴蝶黄**按、楊升菴謂、蝴蝶或黑或白、或五彩皆具、惟黄色一種、至秋乃多、蓋感金氣也。太白八月蝴蝶黄之句、以爲深中物理。**坐愁**鮑照詩、安能行嘆復坐愁。**三巴**譙周三巴記、閬白水東南流、曲折三迴如巴字。華陽國志、獻帝建安六年、改永陵爲巴郡、以固陵爲巴東、安漢爲巴西、是爲三巴。小學紺珠、三巴、巴郡、今重慶府、巴東、今夔州、巴西、今合州。**長風沙**唐詩紀事、長風沙、地名、在池州之雁汊下八十里。太平寰宇記、長風沙、在舒州懷寧縣東一百九十里、置在江界、以防冦盜。按、自金陵至長風沙凡七百里。又按緯園居士云、長風沙、即今懷寧縣東五十里長風夾也。自金陵至長風沙五百里、或以爲七百里、誤。

孟郊

字東野、湖州武康人。少隱嵩山、年五十始成進士、爲溧陽尉。韓愈極重之、薦於鄭餘慶、奏爲參軍。未幾卒。張籍謚曰貞曜先生。

列女操

梧桐相待老、鴛鴦會雙死。貞婦貴狥夫、捨生亦如此。波瀾誓不起、妾心古井水。

鴛鴦（古今注、鴛鴦、水鳥、鳧類也。雌雄未嘗相離、人得其一、一思而死、故謂之匹鳥。）波瀾（謝靈運詩、傾耳聆波瀾、舉目眺嶇嶔。）

遊子吟

慈母手中線、遊子身上衣、臨行密密縫、意恐遲遲歸。誰言寸草心、報得三春暉。

唐詩三百首補註卷二

七言古詩

陳子昂　子昂、字伯玉、梓州射洪人。文明初舉進士、武后時擢靈臺正字。遷右拾遺、嘗上疏勸武后興明堂太學。后改稱周、子昂上周受命頌、聖曆初解官歸。縣令段簡貪暴、聞其富、欲害之、捕送獄中、憂憤死。

登幽州臺歌

前不見古人、後不見來者。念天地之悠悠、獨愴然而涕下。

幽州　爾雅、燕曰幽州。釋名、幽州在北、幽昧之地也。晉書地理志、舜以冀州南北濶大、分衞以西爲幷州、燕以北爲幽州、周人因焉。春秋元命苞、箕星散爲幽州、分爲燕國。　悠悠　陸機賦、天悠悠而彌高。列子、名者實之賓、而悠悠者趨名不已。　愴然　唐韵、愴、楚亮切、音創、傷也。禮、祭義、霜露既降、君子履之、必有悽愴之心、非其寒之謂也。

李頎　頎、東川人。開元十三年進士、調新鄉縣尉。有集傳於世。

古意

男兒事長征、少小幽燕客。賭勝馬蹄下、由來輕七尺。殺人莫敢前、鬚如蝟毛磔。黃雲隴底白雲飛、未得報恩不得歸。遼東小婦年十五、慣彈琵琶解歌舞。今爲羌笛出塞聲、使我三軍淚如雨。

七尺（沈約王儉碑銘、傾方寸以奉國、志七尺以事君。）蝟毛磔（晉書桓溫傳、溫豪爽有風概、姿貌甚偉、劉惔嘗稱之曰、溫眼如紫石稜、鬚作蝟毛磔、孫仲謀晉宣王之流亞也。埤雅、蝟狀似鼠、性極鷙鈍、物少犯近則毛刺攢起如矢。物類志、蝟毛順者雄、逆者雌。按、蝟音渭。）遼東（漢書地理志、遼東郡、縣、遼陽、大梁水西南至遼陽、入遼。）羌笛（馬融長笛賦、近世雙笛從羌起、羌人伐竹未及已。龍鳴水中不見己、截竹吹之聲相似。注、羌、西戎也。羌笛與笛、二器不同、蓋羌人伐竹未畢、有龍鳴水中、不見其身、羌人旋即截竹吹之、聲與龍相似。）

送陳章甫

出門時景。

四月南風大麥黃、棗花未落桐葉長。青山朝別暮還見、嘶馬出門思舊鄉。

陳平日品概。

陳侯立身何坦蕩、虬鬚虎眉仍大顙。腹中貯書一萬卷、不肯低頭在草莽。

出門時意氣。

東門酤酒飲我曹、心輕萬事如鴻毛。醉臥不知白日暮、有時空望孤雲高。

陳出路風波。

長河浪頭連天黑、津吏停舟渡不得。鄭國遊人未及家、洛陽行子空歎息。

送別。

聞道故林相識多、罷官昨日今如何。

坦蕩（論語、君子坦蕩蕩。晉書阮籍傳、其外坦蕩、而內淳至。）虬鬚（三國志崔琰傳、琰對客虬鬚直視、若有所瞋。按、虬作虯、音求。說文、龍子有角者。）

虎眉帝王世紀、文王昌、龍顏虎眉。大顙周易、巽、於人也爲寡髮、爲廣顙。草莽孟子、在野曰草莽之臣。鴻毛司馬遷報任少卿書、人固有一死、死或重於泰山、或輕於鴻毛、用之所趨異也。津吏列女傳、趙簡子南擊楚、至河津、津吏醉臥不能渡、簡子怒、將殺之、津吏之女乃持楫而前曰、妾父知君王將渡、恐値風波、故禱河神、不勝杯酌餘瀝、醉于此、君命誅之、願以微軀易父之死。鄭國說文、鄭、京兆縣、周厲王子友所封。按、鄭武公定平王於東都、因徙其封、施舊號於新邑、是爲新鄭。今河南開封府鄭州是也。洛陽漢書地理志、河南郡縣雒陽。注、雒同洛、漢火行忌水、故去洛水而加佳。故林按、故林、猶故園也。

琴歌

主人有酒歡今夕、請奏鳴琴廣陵客。月照城頭烏半飛、月明。霜淒萬木風入衣。風冷。

銅鑪火以煖之。華燭燭增輝、初彈淥水後楚妃。皆曲名。一聲已動物皆靜、一句寫旁聽者。四座無言星欲稀。

清淮奉使千餘里、敢告雲山從此始。

廣陵晉書嵇康傳、康將刑東市、顧視日影、索琴彈之、曰、昔袁孝尼嘗從吾學廣陵散、吾每靳固之、廣陵散于今絕矣。漢書地理志、廣陵國、景帝四年更名江都、武帝元年更名廣陵郡。烏飛魏武帝短歌行、月明星稀、烏鵲南飛。淥水樂府詩集、齊明王歌辭七曲、王融應司徒教而作也。一日明王曲、二日聖君曲、三日淥水曲。庾信春賦、陽春淥水之曲、對鳳迴鸞之舞。楚妃歌錄、石崇楚妃歎曰、歌辭莫知其所由、楚之賢妃能立德著勳、垂名於後、唯樊姬焉、故今歎詠之聲、永世不絕。陸機樂府、楚妃且莫歎、齊娥且莫謳。

聽董大彈胡笳兼寄語弄房給事

（敍胡笳來歷。）

蔡女昔造胡笳聲、一彈一十有八拍。胡人落淚沾邊草、漢使斷腸對歸客。古戍蒼蒼烽火寒、大荒陰沉飛雪白。先拂商絃後角羽、四郊秋葉驚摵摵。（董大。）董夫子、通神明、深松竊聽來妖精。言遲更速皆應手、（彈。）將往復旋如有情。（以下寫胡笳聲中情景。）空山百鳥散還合、萬里浮雲陰且晴。嘶酸雛雁失羣夜、斷絕胡兒戀母聲。川爲靜其波、鳥亦罷其鳴。烏珠部落家鄉遠、邏娑沙塵哀怨生。幽音變調忽飄灑、長風吹林雨墮瓦。迸泉颯颯飛木末、野鹿呦呦走堂下。長安（房給事。）城連東掖垣、鳳凰池對青瑣門。高才脫略名與利、日夕望君抱琴至。

題解　按、品彙注、唐史、董庭蘭善鼓琴、爲房琯門客。天寶五載、琯擢給事中。增韵、弄戲也。此疑贈庭蘭兼寄次律也。　胡笳聲　史記樂書、胡笳似悲栗而無孔、後世鹵簿用之。伯陽避入西戎所作、卷蘆葉吹之也。蔡琰別傳、琰字文姬、先適河東衞仲道、夫亡無子、歸寧于家。漢末爲胡騎所獲、在左賢王部伍中。春月登胡殿、感笳之音、作胡笳十八拍、爲琴曲以見志。按、大胡笳十八拍、號沈家聲。小胡笳十九拍、號祝家聲。舊唐書音樂志、絲桐惟琴曲有胡笳聲。　烽火　史記司馬相如傳、烽舉燧燔。注、索隱曰、纂要云、烽、見敵則舉。燧、有難則焚。烽主晝、燧主夜。酉陽雜俎、狼糞烟直上、烽火用之。漢書、烽火通於甘泉。　大荒　山海經、大荒之中有山、名曰大荒之山。日月所入、是謂大荒之野。　陰沉　文心雕龍、天高氣清、陰沉之志遠、霰雪無垠、矜肅之慮深。　商絃角羽列子、鄭師文從師襄遊、柱指鈎絃、三年不成章。師襄曰、子可以歸矣。師文曰、且小假之以觀其後。無幾何、復見師襄、曰、子之琴何如。曰、得之矣、請嘗試之。於是當春而叩商絃、以召南呂、涼風忽至、草木成實。及秋而叩角絃、以激夾鐘、溫風徐迴、草木發榮。當夏而叩羽絃、以召黃鐘、霜雪交下、川池暴沍。及冬而叩徵絃、以激蕤賓、陽光熾烈、堅冰立散。師襄乃撫心高蹈曰、微矣子之彈也、雖師曠鄒衍無以加之。

摵摵 盧諶詩、摵摵芳葉零。 **神明** 晉書、束先生、通神明。

深松 宋武帝詩、深松朝已霧。 **竊聽** 史記、秦王跽曰、寡人願聞失計、然左右多竊聽者。范睢恐、未敢言內而先言外事、以窺秦王之俯仰。 **百鳥** 張翰詩、百鳥互相和。 **嘶酸** 陸厥詩、君不見孤雁關外發、酸嘶度楊越。 **雛雁** 孫楚笳賦、若夫廣陵散吟、五節白紵、太山長曲、哀及梁父。似鴻雁之將雛、乃羣翔于河渚。 **胡兒** 胡笳十八拍、不謂殘生兮却得還歸。撫抱胡兒兮泣下沾衣。焉得羽翼兮將汝歸。一步一遠兮足難移。 **烏珠** 按、王阮亭古詩選、沈歸愚選全唐詩、皆作烏孫。史記大宛傳、烏孫在大宛東北可二千里。漢書西域傳、烏孫願得尚漢公主爲昆弟、元封中遣江都王建女細君爲公主以妻焉。公主歌曰、吾家嫁我兮天一方、遠托異國兮烏孫王、穹廬爲室兮旃爲牆。 **部落** 晉中興書、胡俗以部落爲種類、屠各最豪貴。 **邏娑** 唐書薛仁貴傳、吐蕃入寇、命爲邏娑道總管。按、邏娑、吐蕃城名。 **沙塵** 十真記、蘭沙之地、去中都萬里、沙如細塵。 **木末** 屈原九歌、采薜荔兮水中、搴芙蓉兮木末。說文、木上曰末。 **呦呦** 詩小雅、呦呦鹿鳴、食野之苹。按、自幽音至堂下、皆狀其琴之聲也。 **長安** 漢書地理志、京兆、縣、長安、高帝五年置、惠帝元年初城、六年成。按、長安、在陝西西安府。長安縣、唐所都也。 **掖垣** 唐書權德輿傳、左右掖垣、承天子詔命。禁中有東西兩掖垣、乃禁牆也。 **鳳凰池** 晉書、荀勖久在中書、專管機事。後爲尚書令、甚罔悵悵。或有賀之者、勖曰、奪我鳳凰池、何賀耶。按、中書地在樞近、人謂之鳳凰池。 **青瑣門** 漢書、儀、黃門郎日暮入、對青瑣門拜。宮閣簿、青瑣門在南宮。漢書元后傳、曲陽侯根、驕奢僭上、赤墀青瑣。師古注、青瑣者、刻爲連環文而青塗之也。 **脫略** 謝尚傳、開率穎秀、辨悟絕倫。

脱略細行、不為流俗之事。

聽安萬善吹觱篥歌

先敍觱篥原委。

南山截竹為觱篥、此樂本自龜茲出。流傳漢地曲轉奇、涼州胡人為我吹。傍隣聞者多歎息、遠客思鄉皆淚垂。世人解聽不解賞、長飆風中自來往。以下寫觱篥聲中情景。枯桑老柏寒颼飀、九雛鳴鳳亂啾啾、龍吟虎嘯一時發、萬籟百泉相與秋。忽然更作漁陽摻、黃雲蕭條白日暗。變調如聞楊柳春、上林繁花照眼新。歲夜高堂列明燭、美酒一杯聲一曲。

觱篥 史記樂書、觱篥、以竹為管、以蘆為首、狀類胡笳而九竅、所法者角音而已。通典、觱篥出於胡中、胡人吹角以驚馬、後乃以笳為管、竹為首。明皇雜錄、觱篥本龜茲國樂、亦曰悲栗。注按、以其聲悲也。 龜茲 漢書、龜茲國王治延城、去長安七千四百八十里。逸史、李謩、開元中吹笛為第一部、嘗會鏡湖、吹涼州、至曲中、坐客有獨孤生者曰、公聲調雜夷樂、得無有龜茲之侶乎。李生大駭、起拜曰、丈人神絶、某師實龜茲人也。注、龜茲、音鳩慈。 涼州 晉書地理志、漢改周之雍州為涼州、蓋以地處西方、常寒涼也。唐書禮樂志、天寶樂曲、皆以邊地名。若涼州、伊州、甘州之類。涼州曲、本西涼所製也。 飆 爾雅、扶搖謂之猋。注、暴風從下而上謂之飆。按、字典、飇飆同。譌作颷、俗作飈、皆音標、義亦同。 颼飀 吳都賦、與風飇颺、颲瀏颼飀。名畫記、烟霞髣髴、風雨颼飀。 九雛 晉書、穆帝升平四年、鳳凰將九雛見于豐城。古樂府、鳳凰鳴啾啾、一母將九雛。孫卿子、鳳鳥啾啾、其翼若干、其聲若簫。 漁陽摻 後漢書禰衡傳、曹操聞衡詈擊鼓、乃以爲鼓吏、因大會賓客、閱試音節。衡爲漁陽參撾、蹀躡而前、聲節悲壯。注、撾、擊鼓椎也。參撾、擊鼓之法。按、韻會正韵、摻、七紺切、驂去聲、與參同。鼓曲也。楊柳 楊柳枝錄、折楊柳、古曲名也。王褒詩、塗歌楊柳曲、巷飲榴花樽。上林 上林賦、獨不聞天子之上林乎。注、上林苑。

孟浩然

夜歸鹿門歌

山寺鐘鳴晝已昏、漁梁渡頭爭渡喧、人隨沙岸向江村、余亦乘舟歸鹿門。鹿門月照開烟樹、忽到龐公棲隱處、巖扉松徑長寂寥、唯有幽人自來去。

漁梁 按、漁梁、當作魚梁。水經注、沔水中有魚梁洲、龐德公所居。按、魚梁洲在湖北襄陽府。鹿門 一統志、山在襄陽府城東南三十里。襄陽記、襄陽侯習郁立神祠於山、刻二石鹿夾神道口、因謂之鹿門山。龐公 後漢書逸民傳、龐德公者、襄陽人也。居峴山之南、未嘗入城府。躬耕田里。荊州刺史劉表數延請、不能屈、後攜妻子登鹿門山採藥、不返。

李白

廬山謠寄盧侍御虛舟

我本楚狂人、鳳歌笑孔丘。手持綠玉杖、朝別黃鶴樓。此段自下望上。五嶽尋仙不辭遠、一生好入名山遊。廬山秀出南斗傍、屏風九疊雲錦張、影落明湖青黛光。

金闕前開二峯長、銀河倒挂三石梁、香爐瀑布遙相望、迥崖沓嶂淩蒼蒼。翠影紅霞映朝日、鳥飛不到吳天長。四句自上臨下。登高壯觀天地間、大江茫茫去不還、黃雲萬里動風色、白波九道流雪山。好爲廬山謠、興因廬山發。以下寄侍御。閑窺石鏡清我心、謝公行處蒼苔沒。早服還丹無世情、琴心三疊道初成。寄盧。遙見仙人彩雲裏、手把芙蓉朝玉京。先期汗漫九垓上、願接盧敖遊太清。

廬山 太平寰宇記、廬山、在江州南、高三千六百六十丈、周迴二百五十里。其山九疊、川亦九派。九江志、周武王時、匡裕兄弟七人皆有道術、結廬於此、仙去、空廬尚存、故曰廬山。按、廬山、在江西南康府西北二十里。又按、南康在廬山之陽、九江在廬山之陰。 盧虛舟 按、李華三賢論、范陽盧虛舟幼眞、質方而淸。賈至有授盧虛舟殿中侍御史制云、勅大理司直盧虛舟、閑邪存誠、遯世頤養、操持有淸廉之譽、在公有幹蠱之才、可殿中侍御史。 楚狂 論語、楚狂接輿歌而過孔子、曰、鳳兮鳳兮、何德之衰、往者不可諫、來者猶可追。已而已而、今之從政者殆而。孔子下、欲與之言、趨而避之、不得與之言。高士傳、陸通、字接輿、楚人也、時謂楚狂。楚王遣使者往聘、通變名易姓遊諸名山、俗傳以爲仙去。 玉杖 後漢書禮儀志、民年始七十者授之以玉杖、長尺、端以鳩爲飾。 黃鶴樓 太平寰宇記、費文禕登仙、駕鶴憩此。述異記、荀瓌憩江夏黃鶴樓上、望西南有物飄然降自雲漢、乃駕鶴之賓也。賓主歡對、辭去、跨鶴騰空、渺然烟滅。按、黃鶴樓在湖北武昌府黃鵠磯上。 五嶽 周禮春官大宗伯、以血祭祭社稷、五祀五嶽。按、東嶽泰山、在山東泰安府。西嶽華山、在陝西華陰縣。南嶽衡山、在湖廣衡州府。北嶽恆山、在山西渾源州。中嶽嵩山、在河南登封縣。 南斗 一統志、廬山上直南斗分野。 屏風 一統志、屏風疊在廬山、自五老峯而下、九疊如屏。 雲錦江淹詩、雲錦被沙汭。金闕二峯太上決疑經、銀宮金闕、列仙所居。述異記、廬山西南有石門山、狀若雙闕。按、二峯、卽香爐峯、雙劍峯也。

三石梁述異記、廬山有三石梁、長數十丈、廣不盈尺。按、廬山紀事、三疊泉在九疊屏之左、水勢三折而下、如銀河之挂石梁。香爐瀑布廬山記、東南有香爐峯、游氣籠其上、氤氳若香烟。又南北有瀑布十餘處、香爐峯與雙劍峯在瀑布之旁、水源在山頂、人未有窮其源者。西爲康王谷之水簾。東爲開元禪院之瀑布。

相望古詩、兩宮遙相望。按、望音王。沓嶂任昉詩、沓嶂易成響。蒼蒼莊子、天之蒼蒼。鳥飛馬援武溪深曲、滔滔武溪一何深、鳥飛不度、獸不敢臨。嗟哉、武溪多毒淫。

壯觀司馬相如封禪書、斯天下之壯觀。九道郭璞江賦、流九派於潯陽。太平寰宇記、潯陽記云、九江在潯陽、去州五里、名曰白馬江、是大禹所疏。會於桑落洲、上下三百餘里合流。昔秦皇漢武、並登廬山以望九江也。尚書、九江註、江於此州界、分爲九道。潯陽記、九江注、一曰烏白江、二曰蜂江、三曰烏江、四曰嘉靡江、五曰畎江、六曰源江、七曰廩江、八曰提江、九曰菌江。雪山雪賦、雪山峙於西域。謠列子注、徒歌曰謠。

石鏡一統志、石鏡峯、在南康府西二十六里、有一圓石懸崖、明淨照見人影、隱現無時。謝靈運入彭蠡湖口詩、攀崖照石鏡。謝公謝靈運有登廬山絕頂望諸嶠詩。還丹參同契、色轉更爲紫、赫然成還丹。廣弘明集、燒丹成水銀、還水銀成丹、故曰還丹。琴心三疊按、黃庭經、琴心三疊舞胎仙、梁邱子注、琴、和也、疊、積也、存三丹田使和積如一。彩雲王融詩、巫山彩雲合。玉京魏書釋老志、道家之源、出於老子。先天地以資萬類、上處玉京、爲神王之宗。下在紫微、爲飛仙之主。盧敖淮南子、盧敖游於北海、至蒙穀之上、見一士、方軒軒然迎風而舞。盧敖與之語曰、惟敖背郡離黨、窮於六合之外、非敖而已乎。今卒覩夫子於是、子殆可與敖爲友乎。若士䶩然而笑曰、吾與汗漫期於九垓之外、吾不可以久留。若士舉臂而竦身、遂入雲中。高誘註、盧敖、燕人。秦始皇召以爲博士、使求神仙、亡而不反。汗漫、不可知之也。九垓、九天之外。太清淮南子、太清之治也、和順以寂寞。

夢遊天姥吟留別

海客談瀛洲、（先作陪。）烟濤微茫信難求。越人語天姥、雲霓明滅或可覩。天姥連天向天橫、（敍天姥。）勢拔五嶽掩赤城。天台四萬八千丈、對此欲倒東南傾。我欲因之夢吳越、（入夢遊。）一夜飛度鏡湖月。湖月照我影、送我至剡溪。謝公宿處今尚在、淥水蕩漾清猿啼。脚著謝公屐、身登青雲梯。半壁見海日、空中聞天鷄。千巖萬壑路不定、迷花倚石忽已暝。（倘恍迷離、純是夢境、與實寫遊山景態者迥別。）熊咆龍吟殷巖泉、慄深林兮驚層巔。雲青青兮欲雨、水澹澹兮生煙。列缺霹靂、丘巒崩摧。洞天石扉、訇然中開。青冥浩蕩不見底、日月照耀金銀臺。霓爲衣兮風爲馬、雲之君兮紛紛而來下。虎鼓瑟兮鸞迴車、仙之人兮列如麻。忽魂悸以魄動、（二句結穴、點明作詩之旨。）怳驚起而長嗟、惟覺時之枕席、失向來之烟霞。世間行樂亦如此、古來萬事東流水。別君去兮何時還、且放白鹿青崖間、須行卽騎訪名山。安能摧眉折腰事權貴、使我不得開心顏。

天姥一統志、天姥峯、在台州天台縣西北、與天台山相對。其峯孤峭、下臨嵊縣、仰望如在天表。按、姥音母。　瀛洲十洲記、瀛洲在東海中、地方四千里。

雲霓謝靈運詩、暝投剡中宿、明登天姥岑。高高入雲霓、還期那可尋。赤城孫綽天台山賦、赤城霞起而建標。太平廣記、章安縣西有赤城山、周三十里。一峯特高、可三百餘丈。按、章安卽今台州府寧海縣。又按、赤城山在天台北、石皆赤色、壁立如城。輿地志、赤城山有赤石羅列、長里餘、遙望似赤城。天台雲笈七籤、天台山高一萬八千丈、洞周圍五百里、名上玉清平之天、上應台星、故曰天台。在台州天台縣。東南傾楚辭、康回馮怒、地何故以東南傾。鏡湖述異記、越州鏡湖、世傳軒轅鑄鏡湖邊、因得名。按、越州卽今紹興府。剡溪元和志、剡溪出越州剡縣西南、北流入上虞縣界、爲上虞江。按、剡縣卽今紹興府嵊縣。謝公屐南史、謝靈運尋山陟嶺、必造幽峻、巖嶂數十重、莫不備盡登躡。嘗著木屐、上山則去其前齒、下山則去其後齒。青雲梯謝靈運登石門最高頂詩、惜無同懷客、共登青雲梯。天鷄天中記、桃都山有大樹曰桃都、枝相去三千里、上有天鷄。日初出照此木、天鷄卽鳴、天下鷄皆隨之。熊咆龍吟楚辭、虎豹鬬兮熊羆咆。廣韻、咆音庖。咆嘷熊虎聲。張衡賦、龍吟方澤。巖泉蕭鈞詩、巖泉咽不流。層巓謝靈運詩、築觀基曾巓。按、曾音層。澹澹高唐賦、水澹澹而盤紆。說文、澹、水搖也。列缺霹靂揚雄羽獵賦、霹靂列缺、吐火施鞭。應劭注、霹靂、雷也。列缺、天隙雷光也。通雅、列缺、雷光也。陽氣從雲決裂而出、故曰列缺。洞天高士傳、洞天周涉、妙藥爲糧。本集注、唐貞觀中、華陰雲臺觀法師、隨長公彌行至一石壁、臨無底之谷、一徑闊數寸、公彌以指扣石壁、劃然開一門、中有天地日月。訇訇音轟、大聲也。金銀臺郭璞詩、神仙排雲出、但見金銀臺。霓衣風馬楚辭、青雲衣兮白霓裳。漢書郊祀歌、靈之下兮若風馬。傅玄吳楚歌、雲爲車兮風爲馬。來下楚辭、流澌紛兮將來下。虎鼓瑟西京賦、總會仙倡、戲豹舞羆。白虎鼓瑟、蒼龍吹篪。鸞車太平御覽、太微天帝、登白鸞之車。楚辭、旣士鸞車之幽藹。列如麻上元夫人步元曲、忽過紫微垣、真人列如麻。悸說文、悸音忌、心動也。驚起鮑照詩、驚起空歎息、恍惚神魂飛。白鹿楚辭、騎白鹿而容與。青崖江淹詩、猿嘯青崖間。**摧眉**王琦注、摧眉、低首也。**折腰**梁蕭統陶潛傳、淵明、潯陽柴桑人也。少有高趣、爲彭澤令。歲終、會郡道督郵至、吏請曰、應東帶見之。淵明歎曰、我不能爲五斗米折腰向鄉里小兒。即日解綬去職。**權貴**漢書、杜業不附權貴。

金陵酒肆留別

風吹柳花滿店香、吳姬壓酒勸客嘗。金陵子弟來相送、欲行不行各盡觴。

請君試問東流水、別意與之誰短長。

柳花古樂府、柳花經東陰。**盡觴**曹植詩、別易會難、當各盡觴。**東流水**樂府、不見東流水、何時復西歸。

宣州謝朓樓餞別校書叔雲

棄我去者、昨日之日不可留。亂我心者、今日之日多煩憂。長風萬里送秋雁、對此可以酣高樓。蓬萊校書。文章建安骨、中間小謝自喻。又清發。俱懷逸興壯思飛、欲上青天覽日月。抽刀斷水水更流、舉杯銷愁愁更愁。人生在世不稱意、明朝散髮弄扁舟。

謝朓樓江南通志、寧國府北樓、謝朓爲宣城太守時所建、亦稱謝公樓。按、今寧國府、東漢曰宣城、隋唐曰宣州。南史、謝朓、字玄暉、文章清麗。**校書**按、唐書、魏徵奏引諸儒校集秘書、國家圖籍、粲然完整。**酣**孔安國尚書傳、酣樂酒日酣。**蓬萊**後漢竇章傳、是時、學者稱東觀爲老氏藏室、道家蓬萊山。注、言東觀經籍多也。蓬萊、海中神山、爲仙府。幽經祕錄、並皆在焉。**建安**滄浪詩話、東漢建安之末、有孔融、王粲、陳琳、徐幹、劉楨、應瑒、阮瑀及曹氏父子所作之詩、世謂之建安體。風骨遒上、最饒古氣。按、建安、獻帝年號。**小謝**鍾嶸詩品論謝惠連云、小謝才思富捷、恨其蘭玉夙凋、故長轡未騁。**壯思飛**劉楨詩、君侯多壯思、文雅縱橫飛。盧思道盧記室誄、麗詞泉湧、壯思雲飛。**銷愁**曹子建詩、誰與銷愁。**散髮**後漢書袁閎傳、延熹末、黨事將作、閎遂散髮絕世。

岑參

走馬川行奉送封大夫出師西征

君不見走馬川行雪海邊、平沙莽莽黃入天。川行形勢。輪臺九月風夜吼、一川碎石大如斗、隨風滿地石亂走。出師西征。匈奴草黃馬正肥、金山西見烟塵飛、漢家大將西出師。將軍金甲夜不脫、半夜軍行戈相撥、以下寫軍行之苦。風頭如刀面如割。馬毛帶雪汗氣蒸、五花連錢旋作冰、幕中草檄硯水凝。虜騎聞之應膽懾、料知短兵不敢接、軍師西門佇獻捷。

走馬川按、雪海、西域康居地、走馬川、川之近雪海者。**封大夫**唐書、封常清、蒲州人。擢安西副大都護、安西四鎮節度副大使、未幾、改北庭都護、持節伊西節度使。**雪海**唐書西域傳、葱嶺水南流者、經中國入于海。北流者、經胡入于海、北三日、行度雪海、春夏常雨雪。**黃沙**北史吐谷渾傳、沙州刺史部內有黃沙、週圍數百里不生草木、因號沙州。何遜詩、遠岸平沙合。**輪臺**唐書地理志、北庭大都護府有輪臺縣、大曆六年置、有靜塞軍。**風如刀**漢書、熱風如燒、寒風如刀。**馬肥**史記匈奴傳、秋、馬肥、大會蹛林。**金山**北邊備對、突厥阿史那氏、得古匈奴北部之地、居金山之陽。一統志、金山在陝西永昌衞城北二里。又、在故昌松縣南。**金甲**蔡琰詩、金甲耀日光。**五花**名畫要錄、開元內廏、有飛黃照夜浮雲五花之乘。**連錢**梁元帝紫騮馬詩、長安美少年、金絡鐵連錢。爾雅、青驪驎驒。注、色有深淺、斑駁隱鄰日驒、今之連錢驄也。**草檄**南史蔡景歷傳、武帝將討王僧辯、召令草檄、景歷援筆立成檄。注見下篇。懾按、懾質涉切、音讋、失氣也。服懾也。怖也。又音攝、懾慴、恐懼也。**短兵**楚辭、車錯轂兮短兵接。**軍師**按、王阮亭古詩選作車師。漢書西域傳、輪臺、西去車師千餘里。又、車師前國、王治交河城、後國、王治務塗谷。按、蘅塘退士本作軍師。**獻捷**左傳、蠻夷戎狄、不式王命、王命伐之、則有獻捷、王親授而勞之。

輪臺歌奉送封大夫出師西征

輪臺城頭夜吹角、輪臺城北旄頭落。聞。見。羽書昨夜過渠黎、單于已在金山西。出師西征。戍樓西望烟塵黑、漢軍屯在輪臺北。上將擁旄西出征、平明吹笛大軍行。二句所聞。四邊伐鼓雪海湧、三軍大呼陰山動。虜塞兵氣連雲屯、戰場白骨纏草根。送封。劍河風急雲片闊、天寒。沙口石凍馬蹄脫。地凍。亞相勤王甘苦辛、誓將報主靜邊塵。古來青史誰不見、今見功名勝古人。

吹角演繁露、蚩尤與黃帝戰、帝命吹角作龍吟禦之。旄頭史記天官書、昴曰旄頭、胡星也。注、動搖若跳躍者、胡兵大起。羽書史記高帝紀、以羽檄徵天下兵。注、檄者、以木簡爲書、長尺二寸、用徵召也。有急事、則加以鳥羽插之、名曰羽檄。渠黎漢書西域傳、渠黎城至龜茲五百八十里。自武帝初通西域、置校尉屯田渠黎。按、黎亦作犂。單于史記、皇帝敬問匈奴單于。前漢匈奴傳、單于者、廣大之貌也。按、單音蟬。單于者、匈奴君也。戍樓庾信詩、戍樓侵嶺路。上將史記、懷王使宋義爲上將。擁旄班固祝文、仗節擁旄。吹笛樂纂、軍中之樂、鼓笛爲上、使聞之者、壯勇而樂和。四邊朱超詩、雲霧四邊收。伐鼓詩小雅、伐鼓淵淵。東都賦、舉烽伐鼓、申令三驅。陰山漢書匈奴傳、侯應曰、臣聞北邊塞至遼東外有陰山、東西千餘里、草木茂盛、多禽獸、本冒頓單于依阻其中、治作弓矢、來出爲寇、是其苑囿也。至孝武時、出師征伐、斥奪其地、攘之于幕北、然後邊境得用少安。邊長老言、匈奴失陰山之後、過之未嘗不哭也。大呼後漢書臧宮傳、宮進兵、呼聲動山谷。虜塞漢書匈奴傳、遣人之西河虎猛、制虜塞下。注、虎猛、縣名、制虜塞在其界。兵氣漢書西域傳、矛端生火、此兵氣也。雲屯後漢書南匈奴傳、控弦抗戈、覘望風塵。雲屯烏散、更相馳突。白骨蔡琰詩、白骨不知誰。江淹恨賦、試望平原、蔓草縈骨。劍河唐書回鶻傳、青山東、有水曰劍河、偶艇以度、水悉東北。河經其國、合而北入海。亞相漢制、御史大夫謂之亞相。見容齋續筆。勤王書金縢、昔公勤勞王家。邊塵江淹詩、何日邊塵靜。青史江淹上建平王書、俱啓丹冊、並圖青史。

白雪歌送武判官歸

北風捲地白草折、胡天八月即飛雪。因風下雪。忽如一夜春風來、千樹萬樹梨花開。四句詠雪。
散入珠簾溼羅幕、狐裘不暖錦衾薄、將軍角弓不得控、都護鐵衣冷猶著。四句雪後之寒。

瀚海闌干百丈冰、因雪成冰。愁雲慘淡萬里凝。中軍置酒飲歸客、胡琴琵琶與羌笛。以下送武。紛紛暮雪下轅門、風掣紅旗凍不翻。輪臺東門送君去、去時雪滿天山路。山迴路轉不見君、雪上空留馬行處。仍歸到雪上作結。

白草漢書西域傳、鄯善國多白草。注、白草、草之白者、似莠而細、無芒。梨花蕭子顯詩、洛陽梨花落如雪。入簾雪賦、終開簾而入隙。狐裘詩檜風、羔裘逍遙、狐裘以朝。錦衾詩、角枕粲兮、錦衾爛兮。羅幕陸機詩、蘭室接羅幕。角弓鮑照詩、角弓不可張。周禮、燕之角幹曰角弓、出幽燕。鐵衣木蘭詩、寒光照鐵衣。瀚海史記匈奴傳、驃騎將軍與左賢王接戰、左賢王遁走、驃騎封於狼居胥山、禪姑衍、臨瀚海而還。注、瀚同翰、瀚海、北海名。羣鳥解羽於此。虞羲詩、瀚海愁雲生。闌干按、闌干、縱橫貌。吳都賦、珠琲闌干。百丈冰神異經、北方層冰萬里、厚百丈。中軍詩、中軍作好。周禮、大司馬中軍以鼙令鼓。胡琴劍俠傳、王敬宏於威遠軍會宴、有侍妓善鼓胡琴。琵琶晉書阮咸傳、咸妙解音律、善彈琵琶。釋名、琵琶本出于胡中、馬上所鼓也。推手前曰枇、引手却曰杷、象其鼓時、因以爲名也。轅門漢書注、軍行以車爲陣、轅相向爲門。旗凍虞世基詩、霜旗凍不翻。

杜甫

韋諷錄事宅觀曹將軍畫馬圖

國初已來畫鞍馬、神妙獨數江都王。將軍得名三十載、人間又見真乘黃。

曾貌先帝照夜白、（先作陪襯。）龍池十日飛霹靂。內府殷紅馬腦盤、婕妤傳詔才人索。盤賜將軍拜舞歸、輕紈細綺相追飛。貴戚權門得筆跡、始覺屏障生光輝。昔日太宗拳毛騧、近時郭家獅子花。今之新圖有二馬、復令識者久嘆嗟。此皆騎戰一敵萬、縞素漠漠開風沙。其餘七匹亦殊絕、（又七匹。總一筆。）迥若寒空動烟雪。霜蹄蹴踏長楸間、馬官廝養森成列。（帶敍。點章。）可憐九馬爭神駿、顧視清高氣深穩。借問苦心愛者誰、後有韋諷前支遁。（以下就馬發感慨。）憶昔巡幸新豐宮、翠華拂天來向東。騰驤磊落三萬匹、皆與此圖筋骨同。自從獻寶朝河宗、無復射蛟江水中。君不見金粟堆前松柏裏、龍媒去盡鳥呼風。

韋諷　按、黃鶴注、諷爲閬州錄事、居在成都。　曹將軍　名畫記、曹霸、魏曹髦之後。髦畫稱於魏代。霸在開元中已得名。天寶末、每詔畫御馬及功臣。官至左武衞將軍。　神妙　孔臧柳賦、固神妙之不如。　江都王　名畫記、江都王緒、霍王元軌之子、太宗猶子也。善書畫鞍馬擅名。垂拱中官至金州刺史。

乘黃　竹書紀年、帝舜元年、出乘黃之馬。穆天子傳、伯夭皆致河典、乃乘渠黃之乘、爲天子先、以極西土。董逌畫跋、乘黃、其狀如狐、背上有角。霸所畫馬、未嘗如此、特論其神駿耳。　照夜白　明皇雜錄、上所乘馬有玉花驄、照夜白。開元記、照夜白、太山回、令陳閎圖之。畫鑑、曹霸人馬圖、紅衣美髯、奚官牽玉面騂、綠衣閹官牽照夜白。　龍池　唐六典注、興慶宮、今上潛龍舊宅也。宅東有井、忽湧出爲小池、嘗有雲氣、或黃龍出其中。景雲中、其沼浸廣、遂瀰洞爲龍池也。長安志、龍池、在南內南薰殿北。**內府**周禮、內府掌受九貢、九賦、九功之貨賄。**馬腦盤**唐書裴行儉傳、平都支遮匐獲瑪瑙盤、廣二尺、文彩燦然。按、瑪瑙、亦作馬腦。**婕妤才人**唐書百官志、內宮有婕妤九人、正三品。才人七人、正四品。漢書外戚傳注、婕、言接幸於上。好、美稱也。**拜舞**吳越春秋、羣臣拜舞天顏舒。**權門**漢書息夫躬傳、趨權門爲名。**筆跡**陸機表、事蹤筆跡、皆可推校。**拳毛騧**長安志、太宗所乘六駿、刻石象於昭陵北闕之下、五曰拳毛騧。黃馬黑喙、平劉黑闥時所乘。**獅子花**杜陽雜編、代宗自陝還、命御馬九花虬並紫玉鞭轡賜郭子儀。以身被九花文、號九花虬。額高九寸、毛拳如麟。亦有獅子驄、皆其類。按、天中記載杜詩注、獅子花即九花虬也。**騎戰**六韜、車與騎戰、一車當幾騎。**蹴踏**南都賦、蹴踏咸陽。**長楸**曹植詩、走馬長楸間。**馬官**晉書天文志、東壁北十星曰天廄、主馬之官。若今驛亭也。**廝養**按、郭茂倩樂府雜曲、有邯鄲才人嫁爲廝養卒婦歌。按、漢書注、析薪爲廝、烹炊爲養。**清高**高士傳、鄭樸修靜默、世服其清高。**支遁**世說、支遁嘗養數匹馬、或言道人畜馬不韻、支遁曰、貧道重其神駿耳。**新豐宮**唐書地理志、京兆府昭應縣、本新豐、有溫泉宮、更曰華清宮。唐志、昭應本新豐、有宮在驪山下。**翠華拂天**上林賦、建翠華之旗。東都賦、旌旗拂天。**騰驤**西京賦、乃奮翅而騰驤。**磊落**按、文選注、磊落、衆多貌。**三萬匹**蕭子顯詩、漢馬三萬匹。**筋骨**列子、伯樂曰、良馬可形容、筋骨相也。**獻寶**穆天子傳、天子西征至陽紆之山、河伯馮夷之所都居、是惟河宗氏、天子沈璧禮焉。河伯乃與天子披圖視典、用觀天子之寶器、曰天子之寶。玉果璿珠、燭銀金膏等物、皆河圖所載、河伯所獻。穆王觀圖、乃導以西邁矣。按、穆王自此歸而上昇、以比玄宗之升遐也。**射蛟**漢書武帝紀、元封五年、自潯陽浮江、親射蛟江中、獲之。**金粟堆**舊唐書、明皇親拜五陵、至睿宗橋陵、見金粟山岡有龍蟠虎踞之勢、復近先塋。謂侍臣曰、吾千秋萬歲後、宜葬此地。暨升遐、遵先旨葬焉。長安志、明皇泰陵在蒲城東北三十里金粟山。**龍媒**漢書禮樂志、天馬徠兮龍之媒。

呼風（楚辭、遵野莽以呼風。）

丹青引 贈曹將軍霸。

將軍魏武之子孫、（四句敍曹家世。）於今爲庶爲淸門。英雄割據今已矣、文彩風流今尙存。
學書初學衞夫人、但恨無過王右軍。丹青不知老將至、富貴於我如浮雲。
開元之中常引見、承恩數上南薰殿。（先寫畫人。）凌煙功臣少顏色、將軍下筆開生面。
良相頭上進賢冠、猛將腰間大羽箭。褒公鄂公毛髮動、英姿颯爽來酣戰。
先帝天馬玉花驄、（次寫畫馬。）畫工如山貌不同。是日牽來赤墀下、迥立閶闔生長風。（先寫眞馬。只一句氣象萬千。）
詔謂將軍拂絹素、意匠慘澹經營中。斯須九重眞龍出、一洗萬古凡馬空。（次寫畫馬。只二句已盡其工處。）
玉花卻在御榻上、榻上庭前屹相向。（眞馬畫馬夾寫、更奇。）至尊含笑催賜金、圉人太僕皆惆悵。
弟子韓幹早入室、（餘波再敍。）亦能畫馬窮殊相。幹惟畫肉不畫骨、（收畫馬、言外見霸之工在畫骨。）忍使驊騮氣凋喪。
將軍畫善蓋有神、必逢佳士亦寫眞。（收畫人。）卽今飄泊干戈際、屢貌尋常行路人。
途窮反遭俗眼白、世上未有如公貧。（有欲節去此四句者、其說頗有見。）但看古來盛名下、終日坎壈纏其身。

丹青（漢書蘇武傳、李陵賀武曰、竹帛所載、丹青所畫。）魏武（按、曹將軍、曹髦之後。曹髦、魏武帝之曾孫、在位六年、爲司馬昭所弒。）爲庶左傳、昭公三十二年、三后之姓、於今爲庶。注、夏商周、三后之子孫、本高貴也、今或降而爲衆庶。**割據**漢書敘傳、割據山河。**文彩**報任安書、文彩不彰於後世。**風流**後漢樊英傳、世之所謂名士者、其風流可知矣。**衛夫人**法書要錄羊欣傳、古來能書人名蔡邕、受于神人而傳崔瑗及女文姬、文姬傳之鍾繇、鍾繇傳之衛夫人、衛夫人傳之王羲之。書斷、衛夫人名鑠、字茂猗、廷尉展之女弟、恆之從女、汝陰太守李矩之妻也。隸書尤善、規矩鍾公。右軍常師之。永和五年卒。子克爲中書郎、亦工書。書史會要、王曠、導從弟、與衛世爲中表、故得蔡邕書法於衛夫人、以授子羲之。**王右軍**晉書、王羲之字逸少、起家祕書郎、後爲右軍將軍。書斷、篆、籀、八分、隸書、章草、飛白、行書、草書、通謂之八體、惟王右軍兼工。**富貴浮雲**論語、不義而富且貴、於我如浮雲。**引見**漢書王商傳、引見白虎殿。**南薰殿**長安志、興慶宮之北有龍池、前有瀛洲、門內有南薰殿。**凌煙**唐書、太宗圖功臣於凌煙閣。**下筆**賈捐之傳、君房下筆、語言妙天下。**生面**南史王琳傳、回腸疾首、切猶生之面。**進賢冠**後漢輿服志、進賢冠、古緇布冠也。文儒者之服。**猛將**李陵答蘇武書、猛將如雲、謀臣如雨。**羽箭**酉陽雜俎、太宗好用四羽大笴長箭、嘗一抉射洞門闔。**褒公鄂公**舊唐書、凌烟功臣李靖等二十四人、開府儀同三司、鄂國公尉遲敬德第七。故輔國大將軍、揚州都督、褒國忠壯公段志元第十。**英姿**後漢書馬武傳、英姿茂績。**酣戰**韓非子、楚師酣戰之聲。**貌不同**沈約詩、如嬌如怨貌不同。**赤墀**見上、蔡女胡笳青瑣注。**閶闔**淮南子、排閶闔、淪天門。離騷、吾令帝閽開關兮、倚閶闔而望予。**意匠**文賦、意司契而爲匠。**經營**歷代畫品、畫有六法、五曰經營位置。**斯須**樂記、禮樂不可斯須去身。按、讀杜心解及王阮亭古詩選、斯須俱作須臾。**真龍**論衡、楚葉公好龍、真龍聞而下之。尚書中候、帝堯即政、有真龍銜甲、赤文綠色、有帝王錄興亡之數。**凡馬**抱朴子、凡馬野、鷹。**至尊**爾雅疏、君者至尊之號。史記武帝紀、朕以眇眇之身承至尊、兢兢焉懼弗任。**圉人**周禮、圉人掌養馬。**太僕**漢書百官表、太僕、秦官、掌輿馬。惆悵按、申氏說杜、惆悵者、訝其畫之似真。韓幹名畫記、韓幹、大梁人、王右丞見其畫推獎之。官至太府寺丞。善寫人物、尤工鞍馬。初師曹霸、後獨自擅。玄宗好大馬、西域歲有獻馬者、幹悉圖其駿、則有玉花驄、照夜白等。驊騮漢書地理志、造父得驊騮騄耳之乘。凋喪詩、陸機舊齒皆凋喪。寫真唐書、閻立本善於寫真、十八學士圖乃立本之跡。眼白晉書阮籍傳、籍能爲青白眼、見禮俗之士以白眼對之。母終、嵇喜來弔、籍作白眼、喜不懌而退。盛名下後漢黃瓊傳、盛名之下、其實難副。坎壈楚辭九辯、坎壈兮、貧士失職而志不平。志坎壈而不違。

寄韓諫議注

今我不樂思岳陽、身欲奮飛病在牀。美人娟娟隔秋水、濯足洞庭望八荒。此詩向無確解。所稱美人、或以爲卽指諫議、則諫議不知何人、無從據信。錢注謂指李泌、尤牽強附會、毫無證據、但其詩直追屈宋、不可不讀。鴻飛冥冥日月白、青楓葉赤天雨霜。玉京羣帝集北斗、或騎麒麟翳鳳凰。學者當如讀蒹葭秋水之篇、初不知其何指、而往復低徊、自有不能已者。必求其人以實之則鑿矣。芙蓉旌旗煙霧落、影動倒景搖瀟湘。星宮之君醉瓊漿、羽人稀少不在旁。似聞昨者赤松子、恐是漢代韓張良。昔隨劉氏定長安、帷幄未改神慘傷。國家成敗吾豈敢、色難腥腐餐楓香。周南留滯古所惜、南極老人應壽昌。美人胡爲隔秋水、焉得置之貢玉堂。結明詩旨。

諫議按、諫議大夫起於後漢。續通典、武后龍朔二年改爲正諫大夫、開元以來、仍復。凡四人屬門下官。不樂詩唐風、今我不樂、日月其除。岳陽師注、岳州巴陵郡曰岳陽、有君山、洞庭、湘江之勝。按、此係諫議隱居處。地理志、岳州在岳之陽、故曰岳陽。按、岳陽卽今湖廣岳州府。奮飛詩邶風、靜言思之、不能奮飛。娟娟鮑照初月詩、未央西北墀、娟娟似蛾眉。洞庭禹貢、九江孔殷。注、九江、即今之洞庭湖也。沅水、漸水、元水、辰水、敍水、西水、澧水、資水、湘水、皆合於洞庭、意以是名九江也。按、洞庭在府西南。八荒揚雄傳、陟西岳以望八荒。鴻飛冥冥法言、鴻飛冥冥、弋人何篡焉。楓葉謝靈運詩、曉霜楓葉丹。雨霜鮑照詩、北風驅鴈天雨霜。玉京按、元君注、玉京者、無爲之天也。東南西北、各有八天、凡三十二天、蓋三十二帝之都。玉京之下、乃崑崙北都。羣帝江淹詩、羣帝共上下。北斗晉書天文志、北斗在太微北、七政之樞機、號令之主。麒麟集仙錄、羣仙畢集、位高者乘鸞、次乘麒麟、次乘龍鳳鶴、每翅各大丈餘。倒景大人賦、貫列缺之倒景。注引陵陽子明經、列缺氣去地二千四百里、倒景氣去地四千里、其景皆倒在下。瀟湘謝朓詩、洞庭張樂地、瀟湘帝子遊。星宮前漢天文志、經星常宿、中外官凡百七十八名、積數七百八十三星、皆有州國官宮物類之象。瓊漿楚辭、華酌既陳、有瓊漿些。羽人楚辭、仍羽人於丹丘。赤松子史記留侯世家、張良曰、吾以三寸舌爲帝者師、封萬戶、位列侯、布衣之極、於良足矣。願棄人間事、從赤松子遊耳。乃學避穀引道輕身。韓張良陸機高祖功臣傳、太子少傅留文成侯韓張良。劉氏漢書高祖紀、帝嘗與呂后曰、周勃厚重少文、然安劉氏者必勃也。令爲太尉。帷幄高帝紀、運籌帷幄之中、決勝千里之外、吾不如子房。色難神仙傳、壺公數試費長房、繼令啖溷、臭惡非常、長房色難之。腥腐鮑照詩、何時與爾曹、啄腐共吞腥。楓香爾雅注、楓有脂而香。南史、任昉營佛殿、調楓香二石。周南留滯史記太史公自序、是歲、天子始建漢家之封、而太史公留滯周南、不得與從事。注、古之周南、今之洛陽。老人壽昌晉書、老人一星在弧南。一曰南極、常以秋分之日見於丙、秋分之夕沒於丁。見則治平、主壽昌。玉堂十洲記、崑崙有流精之闕、碧玉之堂、西王母所治也。按、夢溪筆談、唐翰林院在禁中、乃人主燕居之所。玉堂承明金鑾殿、皆在其間。

古柏行

孔明廟前有老柏、柯如青銅根如石。霜皮溜雨四十圍、黛色參天二千尺。

君臣已與時際會、（二句揭明）樹木猶爲人愛惜。（通首作意。）雲來氣接巫峽長、月出寒通雪山白。

憶昨路遶錦亭東、先主武侯同閟宮。崔嵬枝幹郊原古、窈窕丹青戶牖空。

落落盤踞雖得地、冥冥孤高多烈風。扶持自是神明力、正直原因造化功。（是古柏、）

大廈如傾要梁棟、萬牛迴首丘山重。（是孔明廟前柏、正喩夾發、言近指遠、託興遙深。）不露文章世已驚、未辭翦伐誰能送。（結穴。）

苦心豈免容螻蟻、香葉曾經宿鸞鳳。志士仁人莫怨嗟、古來材大難爲用。

孔明廟柏　蜀志、諸葛亮字孔明、身長八尺、每自比于管仲樂毅。先主即帝位、策爲丞相。建興元年封武鄉侯。按、趙注杜詩解、成都先主廟、武侯祠堂附焉。夔州先主廟武侯廟各別。此詩蓋指夔州柏也。按、杜詩夔州十絕云、武侯祠堂不可忘、中有松柏參天長、即指此。　銅石　任昉述異記、盧氏一縣有盧君家、冢傍柏一株、根勁如銅石。　黛色　江淹竹賦、黛色參天。　際會　張衡詩、遷逝承際會。　愛樹　左傳、思其人而愛其樹。　雲來　蕭懿詩、雲來鬱嵬山近。　巫峽　宜都山川記、巴東三峽巫峽長。　雪山　後漢書班超傳注、西域有白山、通歲有雪、亦名雪山、在成都西。　錦亭　蜀志、錦江、織錦成、濯其中則鮮明、故曰錦江。按、錦江在成都。又按、朱注、嚴武有寄題杜二錦江野亭詩、故曰錦亭。　閟宮　詩魯頌、閟宮有侐。注、閟、深閉也。宮、廟也。侐、清靜也。寰宇記、先主廟西院即武侯廟。廟前有雙大柏、古峭可愛。人云武侯所植。趙注、此追言成都廟中柏也。　窈窕　魯靈光殿賦、旋室嬋娟以窈窕。　戶牖　鮑照詩、開軒當戸牖。落落杜篤賦、長松落落。盤踞中山王文木賦、或如龍盤虎踞。得地沈約賦、棲根得地。烈風陸機序、欲隕之葉、無所借烈風。扶持遊天台山賦、實神明之所扶持。大廈文中子、大廈之傾、非一木所支。梁棟晉書、栝柏豫章雖小、已有棟梁之器。梁武帝詩、出家篇上首、入仕作梁棟。萬牛按、本詩注、杜預水災疏、所留好種萬頭、此萬牛所本。丘山鮑照詩、丘山不可勝。文章中山王文木賦、既剞既刊、見其文章。翦伐詩召南、蔽芾甘棠、勿翦勿伐、召伯所茇。螻蟻賈誼賦、橫江湖之鱣鯨兮、固將制於螻蟻。按、螻卽螻蛄、秦晉間謂之蠹。鸞鳳易林、枝葉茂盛、鸞鳳以庇。謝承後漢書、方儲種松柏、鸞棲其上。

唐詩三百首補註卷三

七言古詩

杜　甫

觀公孫大娘弟子舞劍器行 并序

題已定詩旨。書法妙。

大曆二年十月十九日、代宗年號。夔府別駕元持宅、見臨潁李十二娘舞劍器、壯其蔚跂、問其所師、曰、余公孫大娘弟子也。開元三載、余尚童穉、記於郾城觀公孫氏舞劍器渾脫、瀏灕頓挫、獨出冠時、自高頭宜春梨園二伎坊內人洎外供奉、曉是舞者、聖文神武皇帝初、公孫一人而已。玉貌錦衣、況余按、蘅塘退士云、况余二字、當是晚餘之訛。又按、讀杜心解評云、玉貌憶公孫、白首悲今我、則况余二字不謬矣。白首、今茲弟子、亦匪盛顏、旣辨其由來、知波瀾莫二、撫事感慨、聊爲劍器行。往者吳人張旭、善草書書帖、數常於鄴縣見公孫大娘舞西河劍器、自此草書長進、豪蕩感激、卽公孫可知矣。

昔有佳人公孫氏、一舞劍器動四方。觀者如山色沮喪、天地爲之久低昂。
㸌如羿射九日落、矯如羣帝驂龍翔。來如雷霆收震怒、罷如江海凝清光。
絳脣珠袖兩寂寞、晚有弟子傳芬芳。臨潁美人在白帝、妙舞此曲神揚揚。
與余問答既有以、感時撫事增惋傷。先帝侍女八千人、公孫劍器初第一。
五十年間似反掌、風塵澒洞昏王室。梨園子弟散如烟、女樂餘姿映寒日。
金粟堆前木已拱、瞿塘石城草蕭瑟。玳絃急管曲復終、樂極哀來月東出。
老夫不知其所往、足繭荒山轉愁疾。

公孫劍器 明皇雜錄、安祿山獻白玉簫管數百事、陳於梨園、諸公主及虢國以下、競爲貴妃弟子。時公孫大娘能爲鄰里曲及裴將軍滿堂勢西河劍器渾脫舞、妍妙皆冠絕於時。 臨潁郾城 唐書地理志、臨潁郾城二縣、俱屬許州。按、許州在河南。 劍器渾脫 樂府雜錄、健舞曲有稜大、阿連、柘枝、劍器、胡旋、胡騰等。以劍器爲刀劍、誤也。正字通、劍器、武舞、用女伎雄粧、空手而舞。文獻通考、或唐書、中宗宴近臣及修文學士、詔徧爲伎。工部尚書張錫爲談容娘舞、將作大匠宗晉卿爲渾脫舞。注按、五行志、長孫無忌以烏羊毛爲渾脫氈帽、謂之趙公渾脫、因演以爲舞。居易錄按、陳暘樂書云、樂府諸曲、自古不用犯聲、唐自則天末年、劍器入渾脫、爲犯聲之始。劍器宮調、渾脫商調、以臣犯君、故爲犯聲。又、唐多解曲、柘枝用渾脫解之類。觀此、則劍器渾脫自別爲舞曲之名。今人誤讀杜

詩序、以劍器爲句、而以渾脫瀏灕頓挫六字爲句、以爲極贊舞器之妙、謬謬沿襲、文
字中往往以渾脫瀏灕四字連綴用之、可笑也。又閱李中麓開元太僕塞上曲云、黃河萬
里障邊隅、點鹵年來謀計殊。不用輕帆並短棹、渾脫飛渡只須臾。自註云、脫音駝、
然後知渾脫舞、渾脫帽皆當作平聲。按、朱中丞續談云、予于役三關、次太子灘、隔
岸羣彝來、亂流而渡、見有騎一物浮水面者、問之、曰、渾脫
也。蓋取羊皮去其骨肉而製之、故以爲名。渾脫帽義應爾。高頭宜春教坊記、右
坊、左教坊在延政坊。右多善歌、左多工舞。妓女入宜春
苑、謂之內人、亦曰前頭人。按、高頭疑卽前頭之謂。梨園唐書禮樂志、明皇既知
音律、又酷愛法曲、選
坐部伎子弟三百教于梨園、聲音有誤
者必覺而正之、號皇帝梨園弟子。玉貌鮑照蕪城賦、東都妙姬、南國
麗人。蕙心紈質、玉貌絳脣。張旭國史
補、
旭常言、始吾見公主擔夫爭路而得筆法
之意、後見公孫氏舞劍器而得其神。觀者禮記、觀
者如堵。沮喪莊子、嗒
焉沮喪。九日淮南子、
堯時十日
並出、堯令羿射中九日、
烏皆死、墜其羽翼。羣帝夏侯玄賦、又如東方羣
帝兮、騰龍駕而翺翔。雷霆易、鼓之以雷霆、
潤之以風雨。震怒
書、皇天
震怒。白帝元和郡國志、公孫述至魚復、有白龍出井中、因號魚復爲白帝城。寰
宇記、公孫述據蜀、自以承漢土運、故號曰白帝城。按、白帝城在四
川夔州
府東。揚揚管晏列傳、意氣揚
揚、甚自得也。有以史記、信陵君不恥
下交、有以也。感時楚辭、余感
時兮悽愴。五十年
按、自開元三年至
是凡五十三年。反掌漢書枚乘傳、易於
反掌、安於泰山。澒洞淮南子、未有天地之時、鴻濛澒
洞。按、澒音汞、澒洞、相連貌。寒
日陶潛詩、慘
慘寒日。慘木拱左傳、穆公曰、爾何知、
中壽、爾墓之木拱矣。哀來魏文帝樂府、樂
往哀來摧肺肝。月東出詩、
日居
月諸、東
方自出。足繭戰國策、蘇子足重繭、日百里
而後舍。注、繭、足胝也。

元結

石魚湖上醉歌 并序

漫叟以公田米釀酒、因休暇則載酒於湖上、時取一醉。歡醉中、據湖岸引臂向魚取酒、使舫載之、徧飲坐者。意疑倚巴丘酌於君山之上、諸子環洞庭而坐、酒舫泛泛然觸波濤而往來者、乃作歌以長之。

石魚湖、似洞庭、夏水欲滿君山青。山爲樽、水爲沼、酒徒歷歷坐洲島。長風連日作大浪、不能廢人運酒舫。我持長瓢坐巴丘、酌飲四座以散愁。

石魚湖　元結石魚湖上作詩序、滮泉南山有獨石在水中、狀如遊魚、魚凹處、修之可以貯酒。水涯四匝多欹石相連、石上堪人坐、水能浮、小舫載酒、又能繞石魚洄流、乃命湖曰石魚湖、鐫銘於湖上、顯示來者。又作詩以歌之。

漫叟　唐詩紀事、元結始號猗玗子、後稱浪士、又曰漫郎、更曰聱叟。唐書元結傳、酒徒又曰公漫久矣、可以漫爲叟。

君山　博物志、君山上有美酒數斗、得飲者不死。水經注、是山、湘君之所遊處、故曰君山。昔秦始皇遭風于此而問其故、博士曰、湘君出入則多風。按、君山在岳州府西南洞庭湖中。君山有石穴潛通吳之包山、郭景純所謂巴陵地道是也。

酒徒　史記酈生傳、酈生瞋目按劍叱使者曰、走、復入言沛公、吾高陽酒徒也、非儒人也。

巴丘　巴丘湖亦名青草湖、北連洞庭南。按、漢湘東納汨羅之水、巴丘山在岳州府南。羿屠巴蛇于洞庭、積骨爲丘、故名。

韓愈　愈、字退之、昌黎人。三歲而孤、兄會嫂鄭鞠之。隨兄官嶺表、兄卒、愈自知刻苦學儒、比長、通六經百家。貞元八年擢進士、累調四門博士、遷監察御史。

上疏極論宮闈、德宗怒、貶陽山令。元和初、擢知國子博士、分司東都、改都官員外郎、尋復爲博士、改比部郎中、進中書舍人、爲裴度行軍司馬、平蔡、遷刑部侍郎。憲宗迎佛骨入禁内、上表力諫。帝怒、將抵以死、大臣皆爲愈言、乃貶潮州刺史、量移袁州、召拜國子祭酒、轉兵部侍郎。王廷湊亂、召愈宣諭、極論順逆利害、廷湊畏服之。歸、轉吏部侍郎、轉京兆尹兼御史大夫、後以李逢吉李紳交構、遺患於愈、罷爲兵部侍郎、後復爲吏部侍郎。卒年五十七、贈禮部尚書、謚曰文。

山石

山石犖确行徑微、黄昏到寺蝙蝠飛。升堂坐階新雨足、芭蕉葉大支子肥。
僧言古壁佛畫好、以火來照所見稀。鋪床拂席置羹飯、疏糲亦足飽我飢。
夜深靜臥百蟲絶、清月出嶺光入扉。天明獨去無道路、出入高下窮煙霏。
山紅澗碧紛爛漫、時見松櫪皆十圍。當流赤足踏澗石、水聲激激風生衣。
人生如此自可樂、豈必局促爲人鞿。嗟哉吾黨二三子、安得至老不更歸。

犖确按、正韻、磽确、石地。亦作墝确。犖确、亦石地不平貌。黄昏到寺按、肆園居士註、韓文公外集、洛北惠林寺題名云、貞元十七年七月二十二日宿此而歸、詩云、晡時堅坐到黄昏。與此正一時事。蝙蝠爾雅、蝙蝠、服翼。注、或謂之仙鼠。曹植賦、明伏暗動、盡似鼠形。按、烏臺詩話、燕以日出爲旦、日入爲夕。蝠以日入爲旦、日出爲夕。爭之不決。芭蕉蘇頌草木疏、芭蕉葉大者二三尺、圍重皮相襲、葉如扇生。支子酉陽雜俎、諸花少六出者、惟梔子花六出、卽西域薝蔔花也。梔與支同。古壁盧照鄰詩、古壁有丹青。疏糲詩、彼疏斯粺。箋、疏、麤也、謂糲米也。按、汧國夫人傳、李娃曰、今夕之費、願以貧窶之家、隨其疏糲以進之。清月（王融詩、清月回將曙。）煙霏（廣絶交論、煙霏雨散。）松櫪（南都賦、其木則檉、松、楔、櫻、槾、栝、柎、櫨、楓、柙、櫨、櫪、帝女之桑。）鞿（楚辭注、馬韁在口曰鞿。漢書刑法志、是以猶鞿而御駻突。）吾黨（論語、吾黨之小子狂簡。）二三子（論語、二三子以我爲隱乎。）

八月十五夜贈張功曹

纖雲四卷天無河、清風吹空月舒波。沙平水息聲影絶、一杯相屬君當歌。君歌聲酸辭正苦、不能聽終淚如雨。洞庭連天九疑高、蛟龍出沒猩鼯號。十生九死到官所、幽居默默如藏逃。下牀畏蛇食畏藥、海氣溼蟄熏腥臊。昨者州前搥大鼓、嗣皇繼聖登夔皐。赦書一日行千里、罪從大辟皆除死。遷者追迴流者還、滌瑕蕩垢清朝班。州家申名使家抑、坎軻祇得移荊蠻。判司卑官不堪說、未免捶楚塵埃閒。同時流輩多上道、天路幽險難追攀。君歌且休聽我歌、我歌今與君殊科。一年明月今宵多、人生由命非由他、有酒不飲奈明何。（此時公與張俱徙掾江陵、俟命於郴而作。）

張功曹（本集、張署墓志、署、河間人、舉進士、拜監察御史、爲幸臣所讒、與同輩韓愈李方叔三人俱爲縣令南方、二年逢恩、俱徙掾江陵、半歲、邕管奏爲判官。纖雲傅玄詩、纖雲時髣髴。月波漢書郊祀歌、月穆穆以金波。當歌魏武帝短歌行、對酒當歌、人生幾何。九疑水經注、營水西流、逕九疑山下、磐基蒼梧之野、峯秀數郡之間、羅巖九舉、各導一谿、岫壑負岨、異嶺同勢、游者疑焉、故曰九疑山。按、疑亦作嶷。九疑山、大舜葬處、在永州府寧遠縣南。猩鼯猩、見七絕已涼注。爾雅釋鳥、鼯鼠、夷由。註、狀如小狐、似蝙蝠、肉翅、項脅毛紫黑色、背上蒼艾色、腹下黃、喙頷雜白、脚短爪長、尾二尺許、飛且乳、亦謂之飛生鼠、聲如人呼、一曰夷由。江淹詩、夜聞猩猩啼、朝見鼯鼠游。畏蛇畏藥按、南方多蛇、又多畜蠱、以毒藥殺人、見聞人傒古詩箋註。涇蟄洛陽伽藍記、地多涇蟄、攢育蟲蟻。腥臊韓子、腥臊惡臭、而傷害腹胃。夔皐按、本集詩、上言述堯舜、下言引皐夔。注、夔、夔龍也、皐、皐陶也。赦書舊唐書順宗紀、貞元二十一年正月丙申、順宗卽位、二月甲子大赦、及八月、憲宗卽位、改貞元二十一年爲永貞元年、自八月五日以前、天下死罪降從流、流以下遞減一等。滌瑕揚雄文、滌瑕蕩穢。州家吳志太史慈傳、州家、謂刺史也。使家按、東野韓詩注、使家、謂湖南觀察使。坎軻古詩、坎軻長苦辛。判司按、永貞元年、公爲江陵府法曹參軍、署爲功曹參軍。捶楚漢書路溫舒傳、捶楚之下、何求不得。唐制、參軍簿尉、有過卽受笞杖。按、杜甫送高記室詩、脫身簿尉中、始與捶楚辭。幽險劉向九歎、阜隘狹而幽險。殊科陳琳書、強弱殊科、衆寡異論。

謁衡嶽廟遂宿嶽寺題門樓

五嶽祭秩皆三公、四方環鎮嵩當中。敍衡岳。火維地荒足妖怪、天假神柄專其雄。敍謁廟。
噴雲泄霧藏半腹、雖有絕頂誰能窮。我來正逢秋雨節、陰氣晦昧無清風。
潛心默禱若有應、豈非正直能感通。須臾靜掃衆峯出、仰見突兀撐青空。

紫蓋連延接天柱、石廩騰擲堆祝融。森然魄動下馬拜、松柏一逕趨靈宮。粉牆丹柱動光彩、鬼物圖畫填青紅。升階傴僂薦脯酒、欲以菲薄明其衷。廟令老人識神意、睢盱偵伺能鞠躬、手持杯珓導我擲、云此最吉餘難同。竄逐蠻荒幸不死、衣食纔足甘長終。侯王將相望久絕、神縱欲福難爲功。夜投佛寺上高閣、星月掩映雲朣朧。猿鳴鐘動不知曙、杲杲寒日生於東。敍宿寺。

衡嶽地理志、衡山在長沙湘南縣南。元和志、衡嶽廟在衡山縣西三十里。祭秩三公尚書、柴、望秩於山川。禮記、天子祭天下名山大川、五嶽視三公。鎮周禮、正南曰荊州、其山鎮曰衡山。嵩當中白虎通、嵩山夾居四方之中、故曰嵩。按、嵩山在河南登封縣北。火維徐靈期南嶽記、衡山者、朱陵之靈臺、太靈之寶洞。上承翼軫、鈐總萬物、故名衡山。下踞離宮、統攝火帥、故號南岳。赤帝館其巔、祝融宅其陽。地荒唐太宗詩、圓蓋歸天壤、方輿入地荒。晦昧吳均詩、晦昧崦嵫色。正直詩小雅、神之聽之、正直是與。紫蓋天柱石廩祝融長沙記、衡山七十二峯最大者五、芙蓉、紫蓋、天柱、石廩、祝融爲最高。按、杜甫望嶽詩、祝融五峯尊、峯峯次低昂、紫蓋獨不朝、爭長業相望。騰擲按、賈岱宗賦、若應龍之騰擲。靈宮西都賦、乃有靈宮、起乎其中。丹柱崔駰七依、丹柱雕楹。傴僂左傳、一命而僂、再命而傴、三命而俯。菲薄禮記疏、言君子不以貧窶菲薄廢禮。廟令按、韓集點勘、唐制、五岳四瀆、令各一人、正九品上、掌祭祀。此廟令蓋謂衡嶽廟中令也。睢盱莊子、而睢睢盱盱、而誰與居。偵伺後漢清河王傳、使御者偵伺得失。按、偵音檉、侯也、探伺也。鞠躬論語、入公門、鞠躬如也、如不容。杯珓按、演繁露、問卜於神明、有器名杯珓、以兩蚌殼投空擲地、觀其俯仰、以斷休咎。後人或用竹、或用木、斲爲蛤形而中分爲二、亦名杯珓、擲法則以半俯半仰者爲吉。廣韻、珓、杯珓也、古者以玉爲之。

長終（史記扁鵲傳、終而不得返。）長　侯王將相（史記、陳涉世家、侯將相寧有種乎。）王　朣朦（潘岳秋興賦、月朣朧以含光兮。注、朣朧、欲明也。按、說文、朦朧、月將入也。）猿鳴（謝靈運詩、猿鳴誠知曙。）猿　杲杲（詩衛風、其雨其雨、杲杲出日。淮南子天文訓、日登於扶桑、是謂朏明。故杲字日在木上。按、注、杲音縞。）

石鼓歌

張生手持石鼓文、勸我試作石鼓歌。少陵無人謫仙死、才薄將奈石鼓何。

周綱陵遲四海沸、宣王憤起揮天戈。大開明堂受朝賀、諸侯劍佩鳴相磨。

（先敘石鼓原委。）

蒐于岐陽騁雄俊、萬里禽獸皆遮羅。鐫功勒成告萬世、鑿石作鼓隳嵯峨。

從臣才藝咸第一、揀選撰刻留山阿。雨淋日炙野火燎、鬼物守護煩撝呵。

公從何處得紙本、毫髮盡備無差訛。（此段寫字體及文義之妙。）

辭嚴義密讀難曉、字體不類隸與蝌。（四句申明字體句。）

年深豈免有缺畫、快劍斫斷生蛟鼉。鸞翔鳳翥衆仙下、珊瑚碧樹交枝柯。

金繩鐵索鎖鈕壯、古鼎躍水龍騰梭。陋儒編詩不收入、二雅褊迫無委蛇。（四句申明辭嚴義密句。）

孔子西行不到秦、掎摭星宿遺羲娥。嗟余好古生苦晚、對此涕淚雙滂沱。

憶昔初蒙博士徵、其年始改稱元和。故人從軍在右輔、爲我度量掘臼科。（此段自述己見。）
濯冠沐浴告祭酒、如此至寶存豈多。氈包席裹可立致、十鼓祇載數駱駝。（襯筆。）
薦諸太廟比郜鼎、光價豈止百倍過。聖恩若許留太學、諸生講解得切磋。（再襯。）
觀經鴻都尙塡咽、坐見擧國來奔波。剜苔剔蘚露節角、安置妥帖平不頗。
大廈深簷與蓋覆、經歷久遠期無佗。中朝大官老於事、詎肯感激徒媕婀。（此段嘆其失所。）
牧童敲火牛礪角、誰復著手爲摩挲。日銷月鑠就埋沒、六年西顧空吟哦。（又作一襯。）
羲之俗書趁姿媚、數紙尙可博白鵝。繼周八代爭戰罷、無人收拾理則那。
方今太平日無事、柄任儒術崇丘軻。安能以此上論列、願借辯口如懸河。
石鼓之歌止於此、嗚呼吾意其蹉跎。

石鼓　集古錄、石鼓久在岐陽、至唐人始盛稱之。韋應物以爲周文王之鼓、至宣王刻詩、韓退之直以爲宣王之鼓。今在鳳翔孔子廟中。鼓有十、散棄於野、鄭餘慶始置於廟而亡其一、皇祐四年、向傅師求於民間、得之、十鼓乃足。元和郡縣志、石鼓文在鳳翔天興縣南二十許里、石形如鼓、其數有十、蓋紀周宣王田獵之事、卽史籀大篆也。按、名勝志、鳳翔縣南有石鼓鎭、石鼓初散陳倉野中、韓文公爲博士、請於祭酒、欲輿致太學、不從、後鄭餘慶始遷於孔子廟。于元季移燕京國子監。按、趙堯卿東坡石鼓歌注、石鼓十、其一無文、其九有文、可見者四百一十七字、可識者二百七十二字。

張生　按、蘅塘退士唐詩注及方扶南韓昌黎詩注、俱以張生作張籍。

少陵謫仙長安志、少陵原西有杜子美故宅。唐書、李白傳、賀知章曰、子謫仙人也。陵遲鄭康成詩譜序、後王稍更陵遲、厲也、幽也、政教尤衰、周室大壞。天戈按、宋史天文志、天戈一星在招搖北。天明堂孝經援神契、明堂者、天子布政之宮。禮記、昔周公朝諸侯於明堂之位、天子負斧扆南向而立。大戴禮、明堂者凡九室、一室而有四戶八牖、以茅蓋屋、上圓下方、所以明諸侯之尊卑也。岐陽蒐左傳、成有岐陽之蒐。按、岐陽、即今鳳翔府岐山縣。蒐、音搜。春獵曰蒐。遮羅玉篇、遮、要也、攔也。爾雅注、羅、謂羅絡之。勒成班固東都賦、憲章稽古、封岱勒成。嵯峨西京賦、嵯峨嶕嶫。按、隳嵯峨、謂隳壞高山也。火燎書經、如火之燎於原。撝呵說文、撝、手指也。呵、大言譴責也。隸蝌書斷、隸書者、秦下邽人程邈所作也。始皇善之、用爲御史、以奏事煩多、篆字難成、乃用隸字、以爲隸人佐書、故曰隸書。水經注、古文出於黃帝之世、蒼頡本鳥跡爲字。秦用篆書、焚燒先典、古文絕矣。魯共王得孔子宅書、不知有古文、謂之蝌蚪書、蓋因科斗之名、遂效其形耳。書旨、述周宣王史史籀、循科斗之書、采蒼頡古文、綜其遺美、別署新意、號曰籀史。按、爾雅釋魚、科斗、活東。疏、蝦蟆子、此蟲一名科斗、一名活東、頭圓而大、尾小、古文似之。又按、科斗亦作蝌蚪、一名懸針。蛟鼉禮記、伐蛟取鼉。子虛賦、雲夢西則有湧泉清池、其中則有神龜、蛟鼉、瑇瑁鼈黿。按、韓詩注、此下皆狀石鼓文如此。珊瑚碧樹西都賦、珊瑚碧樹、周阿而生。古鼎躍水史記封禪書、宋太丘社亡、而鼎沒於泗水彭城下。水經注、周顯王四十二年、九鼎淪沒泗淵。秦始皇時而鼎見於斯水、始皇自以德合三代、大喜、使數千人沒水系而行之、未出、龍齒齧斷其系。龍梭晉書陶侃傳、侃少時、漁于雷澤、網得一織梭、以挂於壁。有頃、雷雨、自化爲龍而去。委蛇詩召南、退食自公、委蛇委蛇。箋、委音威、蛇音移、叶唐何反、音駝。委蛇、自得之貌。掎摭曹植書、劉季緒好詆訶文章、掎摭利病。說文、掎、偏引也。摭、采取也。羲娥按、羲和日御、嫦娥月御。羲娥、蓋言日月也。按、韓昌黎詩集箋注、容齋隨筆云、文士爲文、有矜夸過實、雖韓文公不能免、如石鼓歌、極道宣王之事、偉矣、至云孔子西行不到秦、掎摭星宿遺羲娥。陋儒編詩不收入、二雅褊迫無委蛇。是謂三百篇皆如星宿、此詩如日月也。二雅褊迫之語、尤非所宜言、今世所傳石鼓之詞尚在、豈能出車攻吉日之右、安知非經聖人所刪乎。滂沱詩、寤寐無爲、涕泗滂沱。右輔按、東雅注、右輔謂右扶風、即鳳翔府。臼科按、臼科、謂石鼓故處。公意蓋欲度量而行之也。濯冠禮器、澣衣濯冠以朝。祭酒史記、荀卿三爲祭酒。注、禮、食必祭先、飲酒亦然、以席中之尊者一人當祭耳。後因以爲官名。氈裹魏志鄧艾傳、陰平道山高谷深、至爲艱險、艾以氈自裹、推轉而下。駱駝漢書匈奴傳注、橐駝、言能負橐囊而駝物也。牟子、諺云、少所見、多所怪、視駱駝言馬腫背。郜鼎左傳、取郜大鼎於宋、納於大廟。切磋詩衛風、如切如磋、如琢如磨。觀經鴻都後漢靈帝紀、光和元年二月、始置鴻都門學士。水經注、蔡邕以熹平四年與五官中郎將堂溪典等、奏求正定六經文字、靈帝許之、邕乃自書丹於碑、使工鐫刻、立太學門外、觀視及摹寫者、車乘日千餘兩、塡塞街陌。今碑上悉銘刻蔡邕等名。奔波晉書載記、塞奔波之路。妥帖陸機文賦、或妥帖而易施、或齟齬而不安。中朝三禮義宗、天子諸侯、皆有三朝、一日外朝、二日中朝、三日內朝。中朝之名、或內或外、人君日夕視政、見卿大夫之朝也。漢書注、中朝、外朝也。大司馬、左右前後將軍、侍中、常侍、散騎諸吏爲中朝。丞相以下六百石爲外朝也。媕娿說文、媕娿、不決之貌。俗書按、麈史、右軍書多不講偏旁、此退之所謂俗書趁姿媚者也。白鵞晉書王羲之傳、性愛鵝。山陰有一道士養好鵝、羲之往觀焉。意甚悅、固求市之、道士云、爲寫道德經、當舉羣相贈耳。羲之欣然、寫畢、籠鵝而歸。八代按、八代、蓋謂秦、漢、魏、晉、元魏、齊、周、隋也。則那左傳、犀兕尚多、棄甲則那。注、那、猶何也。懸河晉書郭象傳、王衍每云、聽象語如懸河瀉水、注而不竭。蹉跎晉書、周處曰、欲自修而年已蹉跎、恐將無及。

柳宗元

漁翁

漁翁夜傍西巖宿、曉汲清湘然楚竹。煙銷日出不見人、欸乃一聲山水綠。迴看天際下中流、巖上無心雲相逐。

欸乃 按、康熙字典、欸乃、棹船相應聲。正字通、今行搖櫓戛軋聲似之。元結、欸乃曲序、大曆丁未中、漫叟以軍事詣都、使還、舟行不進、作欸乃五首、舟子唱之、蓋欲取適于道路耳。注、欸音矮、乃音靄。按、後人因柳集注云、一本作襖靄、遂直音欸爲襖、乃爲靄、不知彼注自謂別本作襖靄、非謂欸乃當作襖靄也。 天際 謝靈運詩、天際識歸舟、雲中辨江樹。 無心 陶潛歸去來辭、雲無心以出岫、鳥倦飛而知還。

白居易 字樂天、下邽人。貞元中擢進士第、元和初對策翰林學士、遷左拾遺、母喪歸、還拜左贊善、以言事貶江州司馬。後入爲中書舍人、乞外遷、爲杭州刺史、移蘇州刺史。文宗立、擢刑部侍郎。太和中、以朝多黨禍乞歸。開成中、起太子少傅。會昌初、以刑部尚書致仕。自稱香山居士、與胡杲等九人讌集、皆年七十者、人繪爲圖、稱香山九老。年七十五卒、謚曰文。

長恨歌

七字一篇綱領。 思傾國、果傾國矣。欲而得之、何恨之有。

漢皇重色思傾國、御宇多年求不得。楊家有女初長成、養在深閨人未識。天生麗質難自棄、一朝選在君王側。回頭一笑百媚生、六宮粉黛無顏色。春寒賜浴華清池、溫泉水滑洗凝脂。侍兒扶起嬌無力、始是新承恩澤時。

雲鬢花顏金步搖、芙蓉帳暖度春宵。春宵苦短日高起、從此君王不早朝。
承歡侍宴無閑暇、春從春遊夜專夜。後宮佳麗三千人、三千寵愛在一身。
金屋妝成嬌侍夜、玉樓宴罷醉和春。姊妹弟兄皆列土、可憐光彩生門戶。
遂令天下父母心、不重生男重生女。驪宮高處入青雲、仙樂風飄處處聞。
緩歌謾舞凝絲竹、盡日君王看不足。漁陽鼙鼓動地來、驚破霓裳羽衣曲。
九重城闕煙塵生、千乘萬騎西南行。翠華搖搖行復止、西出都門百餘里。
六軍不發無奈何、宛轉蛾眉馬前死。花鈿委地無人收、翠翹金雀玉搔頭。
君王掩面救不得、回看血淚相和流。黃埃散漫風蕭索、雲棧縈紆登劍閣。
峨嵋山下少人行、旌旗無光日色薄。蜀江水碧蜀山青、聖主朝朝暮暮情。
行宮見月傷心色、夜雨聞鈴腸斷聲。天旋地轉迴龍馭、到此躊躇不能去。
馬嵬坡下泥土中、不見玉顏空死處。以下八句、寫日中情景、花草人物都到。君臣相顧盡霑衣、東望都門信馬歸。
歸來池苑皆依舊、太液芙蓉未央柳。芙蓉如面柳如眉、對此如何不淚垂。
春風桃李花開日、秋雨梧桐葉落時。西宮南內多秋草、落葉滿階紅不掃。

梨園弟子白髮新、椒房阿監青娥老。（以下八句、寫夜間情景、日初昏至將曉都到。）夕殿螢飛思悄然、孤燈挑盡未成眠。
遲遲鐘鼓初長夜、耿耿星河欲曙天。鴛鴦瓦冷霜華重、翡翠衾寒誰與共。
悠悠生死別經年、（一句起下。）魂魄不曾來入夢。臨邛道士鴻都客、能以精誠致魂魄。
爲感君王輾轉思、遂教方士殷勤覓。排空馭氣奔如電、升天入地求之徧。
上窮碧落下黃泉、兩處茫茫皆不見。忽聞海上有仙山、（詼諧入妙。）山在虛無縹緲間。
樓閣玲瓏五雲起、其中綽約多仙子。中有一人字太真、雪膚花貌參差是。
金闕西廂叩玉扃、轉教小玉報雙成。聞道漢家天子使、九華帳裏夢魂驚。
攬衣推枕起徘徊、（空虛處偏有實證。）珠箔銀屏迤邐開。雲鬢半偏新睡覺、花冠不整下堂來。
風吹仙袂飄飄舉、猶似霓裳羽衣舞。玉容寂寞淚闌干、梨花一枝春帶雨。
含情凝睇謝君王、一別音容兩渺茫。昭陽殿裏恩愛絕、蓬萊宮中日月長。
回頭下望人寰處、不見長安見塵霧。惟將舊物表深情、鈿合金釵寄將去。
釵留一股合一扇、釵擘黃金合分鈿。但教心似金鈿堅、天上人間會相見。
臨別殷勤重寄詞、詞中有誓兩心知。七月七日長生殿、夜半無人私語時。

在天願作比翼鳥、在地願爲連理枝。天長地久有時盡、此恨緜緜無絕期。點題結穴。

長恨歌　前進士陳鴻撰長恨歌傳曰、開元中、泰階平、四海無事。玄宗在位歲久、倦於旰食宵衣、政無大小、始委於右丞相、深居遊宴、以聲色自娛。先是、元獻皇后武淑妃皆有寵、相次卽世。宮中雖良家子千數、無可悅目者。上心忽忽不樂。時每歲十月、駕幸華清宮、內外命婦、熠燿景從、浴日餘波、賜以湯沐、春風靈液、澹蕩其間。上心油然、若有所遇、顧左右前後、粉色如土。詔高力士潛搜外宮、得弘農楊玄琰女於壽邸、既笄矣。鬢髮膩理、纖穠中度、舉止閑冶、如漢武帝李夫人。別疏湯泉、詔賜澡瑩。既出水、體弱力微、若不任羅綺。光彩煥發、轉動照人、上甚悅。進見之日、奏霓裳羽衣曲以導之。定情之夕、授金釵鈿合以固之。又命戴步搖、垂金璫。明年、冊爲貴妃、半后服用、由是冶其容、敏其詞、婉孌萬態、以中上意、上益嬖焉。時省風九州、泥金五嶽、驪山雪夜、上陽春朝、與上行同輦、居同室、宴專席、寢專房、雖有三夫人、九嬪、二十七世婦、八十一御妻、曁後宮才人、樂府妓女、使天子無顧盼意。自是六宮無復進幸者。非徒殊豔尤態致是、蓋才智明慧、善巧便佞、先意希旨、有不可形容者。叔父昆弟皆列位清貴、爵爲通侯。姊妹封國夫人、富埒王室、車服邸第、與大長公主侔矣。而恩澤勢力則又過之。出入禁門不問、京師長吏爲之側目、故當時謠詠有云、生女勿悲酸、生男勿喜歡。又曰、男不封侯女作妃、看女卻爲門上楣。其人心羨慕如此。天寶末、兄國忠盜丞相位、愚弄國柄。及安祿山引兵向闕、以討楊氏爲辭。潼關不守、翠華南幸、出咸陽、道次馬嵬亭。六軍徘徊、持戟不進。從官郎吏伏上馬前、請誅晁錯以謝天下。國忠奉氂纓盤水、死於道周、左右之意未快。上問之。當時敢言者、請以貴妃塞天下怒。上知不免、而不忍見其死、反袂掩面、使牽之而去。蒼黃展轉、竟就絕于尺組之下。既而玄宗狩成都、肅宗受禪靈武。明年、大赦改元、大駕還都。尊玄宗爲太上皇、就養南宮。自南宮遷於西內、時移事去、樂盡悲來。每至春之日、冬之夜、池蓮夏開、宮槐秋落、梨園弟子、玉琯發音、聞霓裳羽衣一聲、則天顏不怡、左右歔欷。三載一意、其念不衰。求之魂夢、杳不能得。適有道士自蜀來、知上皇心念楊妃如是、自言有李少君之術。玄宗大喜、命致其神。方士乃竭其術以索之、不至。又能遊神馭氣、出天界、沒地府以求之、不見。又旁求四虛上下、東極大海、跨蓬壺。見最高仙山、上多樓闕、西廂下有洞戶、東向、闔其門、署曰、玉妃太真院。方士抽簪扣扉、雙童女出應門。方士造次未及言、而雙鬟復入。俄有碧衣侍女又至、詰其所從。方士因稱唐天子使者、且致其命。碧衣云、玉妃方寢、請少待之。於時雲海沉沉、洞天日晚、瓊戶重闔、悄然無聲。方士屏息斂足、拱手門下。久之、而碧衣延入、且曰、玉妃出。見一人冠金蓮、披紫綃、珮紅玉、曳鳳舃、左右侍者七八人、揖方士問皇帝安否、次問天寶十四載已還事。言訖憫然、指碧衣取金釵鈿合、各折其半授使者曰、爲我謝太上皇、謹獻是物、尋舊好也。方士受辭與信、將行、色有不足。玉妃固徵其意。復前跪致詞、請當時一事、不爲他人聞者、驗於太上皇。不然、恐鈿合金釵、負新垣平之詐也。玉妃茫然退立、若有所思、徐而言之曰、昔天寶十載、侍輦避暑於驪山宮。秋七月、牽牛織女相見之夕、秦人風俗、是夜張錦繡、陳飲食、樹瓜果、焚香於庭、號爲乞巧。宮掖間尤尚之。夜始半、休侍衛于東西廂、獨侍上。上凭肩而立、因仰天感牛女事、密相誓心、願世世爲夫婦。言畢、執手各嗚咽。此獨君王知之耳。因自悲曰、由此一念、又不得居此。復墮下界、且結後緣。或爲天、或爲人、決再相見、好合如舊。因言、太上皇亦不久人間、幸唯自安、無自苦耳。使者還奏太上皇、皇心震悼、日日不豫。其年夏四月、南宮宴駕。元和元年冬十二月、太原白樂天自校書郎尉於盩厔。鴻與瑯琊王質夫家於是邑、暇日相攜遊仙遊寺、話及此事、相與感歎。質夫舉酒於樂天前曰、夫希代之事、非遇出世之才潤色之、則與時消沒、不聞於世。樂天深於詩、多於情者也。試爲歌之。如何。樂天因爲長恨歌。意者不但感其事、亦欲懲尤物、窒亂階、垂於將來者也。歌既成、使鴻傳焉。世所不聞者、予非開元遺民、不得知。世所知者、有玄宗本紀在。今但傳長恨歌云爾。

傾國 漢書、李延年善歌、侍武帝歌曰、北方有佳人、絕世而獨立。一顧傾人城、再顧傾人國。寧不知傾城與傾國、佳人難再得。上嘆息曰、善、世豈有此人乎。平陽主因言延年有女弟、上乃召見之。實妙麗善舞、由是得幸。

御宇 晉書武帝紀、握圖御宇、敷化導民。

麗質 梁簡文帝妾薄命、名都多麗質。

温泉 唐書

地理志、京兆府昭應驪山宮、溫泉宮。天寶六載更溫泉宮曰華清宮。治湯井爲池、環山列宮室。又築羅城、置百司及十宅。水衡記、靈池山上有八泉、一曰溫泉、其水長溫。

凝脂 詩衛風、膚如凝脂。箋、脂寒而凝、亦言白也。

步搖 晉書輿服志、皇后首飾、則假髻步搖、俗謂之珠松是也。釋名、步搖、上有垂珠、步則搖也。

芙蓉帳 鮑照行路難、七綵芙蓉之羽帳。庾信賦、掩芙蓉之行帳。

專夜 禮、五日之御。注、諸侯娶九女、夫人專夜。

三千 後漢后妃紀序、自武元之後、世增淫費、至乃掖庭三千。

金屋 漢武故事、武帝爲太子時、長公主欲以女配帝。問曰、兒欲得婦、阿嬌好否。帝曰、若得阿嬌、當以金屋貯之。

列土 漢書谷永傳、臣聞生蒸民不能相治、爲立王者以統理之。方制海內、非爲天子、列土封疆、非爲諸侯。皆以爲民也。

驪宮 按、驪宮、即驪山華清宮也。

漁陽鼙鼓 唐書地理志、薊州漁陽郡、開元十八年置。禮記、君子聽鼓鼙之聲、則思將帥之臣。說文、鼙、騎鼓也。或作鞞。按、綱鑑、天寶乙未十四載冬十一月、安祿山反于范陽、引兵而南。所過州縣、牧令或出迎、或竄匿、或爲所擒戮、無敢抗之者。時附祿山者有六郡、范陽、盧龍、密雲、汲郡而外、漁陽與焉。香山用漁陽、當以此。至連用鼙鼓、又取漁陽三撾、鼓聲悲壯、與下霓裳羽衣曲作對勘耳。

霓裳羽衣曲 唐逸史、開元中、中秋夜、羅公遠取拄杖向空擲之、化爲大橋。請明皇同登、至大城闕。公遠曰、此月宮也。見仙女數百、皆素練寬衣、舞於廣庭、曰霓裳羽衣之曲。明皇密記其聲調、作霓裳羽衣曲。唐書禮樂志、河西節度使楊敬忠、獻霓裳羽衣曲。鄭愚津陽門詩注、葉法善嘗引明皇入月宮、聞仙樂、及上歸、但記其半、遂於笛中寫之。會西涼府都督楊敬述進婆羅門曲、與其聲調相符、遂以月中所聞爲散序、用敬述所進爲其腔、名霓裳羽衣曲。

九重 古雋、九、陽數之極、故天子稱九重。楚辭、君之門兮九重。易林、紫闕九重、尊嚴在中。駱賓王詩、山河千里國、城闕九重門。

六軍 周禮地官、五師爲軍。注、萬二千五百人。周制、天子六軍、諸侯大國三軍、次國二軍、小國一軍。

蛾眉 詩衛風、螓首蛾眉。注、蛾、蠶蛾也。其眉細而長曲。

花鈿 唐書輿服志、內外命婦服花鈿、翟衣青質。沈約麗人賦、雜錯花鈿。

翠翹 宋玉招魂、砥室翠翹、絓曲瓊些。注、翠、鳥名。翹、羽也。

金雀陸機詩、金雀垂藻翹。玉搔頭西京雜記、武帝過李夫人、取玉簪搔頭。自是後宮人搔頭皆用玉。劍閣水經注、小劍戍北去大劍三十里、連山絕險、飛閣相通、故謂之劍閣也。舊唐書地理志、劍州、劍門縣界大劍山、卽梁山也。其北三十里有小劍山、大劍山。有閣道三十里。一統志、蜀所恃爲外戶、其山峭壁中斷、兩崖相嶔如門之闢、如劍之植。又名劍門山。張載劍閣銘、一人守嶮、萬夫趦趄。峨嵋山水經注、峨嵋山去成都千里、然秋日清澄、望見兩山相峙如蛾眉焉。按、峨嵋山在今嘉定府峨嵋縣南。雨鈴明皇雜錄、帝幸蜀、南入斜谷、霖雨彌旬、于棧道中、聞鈴聲與雨相應、帝旣悼貴妃、因採其聲爲雨霖鈴曲、以寄恨焉。龍馭拾遺記、禹踰峻山、則神龍而爲馭。馬嵬坡一統志、馬嵬坡在西安府興平縣西二十五里。不見玉顏空死處庾肩吾詩、春花競玉顏。唐書、貴妃縊路祠下、裹尸以紫茵、瘞道側。帝自至蜀、密遣中使具棺槨、他葬焉。太液漢書郊祀志、北治大池漸臺、高二十餘丈、名曰泰液。按、泰與太同。西京雜記、始元元年、黃鵠下建章宮太液池、帝乃作歌。未央詩、夜如何其、夜未央。疏、未央者、前限未到之辭。故漢有未央宮。括地志、未央宮在雍州長安縣西北十里。芙蓉如面柳如眉西京雜記、卓文君眉色不加黛、如望遠山。臉際若芙蓉、肌膚如凝脂。梁元帝詩、柳葉生眉上。西宮南內唐書、上皇愛興慶宮、自蜀歸、卽居之。時御長慶樓、父老過者、往往瞻拜呼萬歲。宦者李國輔慮上皇與外人交通、會上不豫、矯稱上詔、迎上皇遷居西內。又地理志、宮城在皇城北、謂之西內。興慶宮謂之南內。椒房爾雅翼、椒實多而香。漢世皇后稱椒房、取其實、蔓延盈升、以椒塗屋、亦取其溫暖。按、上官皇后傳注、椒房、殿名。在未央宮。皇后所居。監按、宋后妃傳、紫極中監女史一人。光與中監女史一人。官品第四。青娥江淹水上神女賦、青娥羞豔、素女慚光。鴛鴦瓦昭明太子詩、日麗鴛鴦瓦、風度蜘蛛屋。鄴中記、鄴都銅雀臺、皆鴛鴦瓦。翡翠衾楚辭、翡翠珠被、爛齊光些。按、衾、大被也。臨邛唐地理志、邛州有臨邛縣。按、卽今四川邛州蒲江縣。如電九思、奔電兮光晃、涼風兮悽悽。魏書、楊大眼走如電。

碧落度人經注、東方第一天有碧霞徧滿、是云碧落。黃泉左傳、不及黃泉、無相見也。綽約莊子、藐姑射之山、有神人居焉。肌膚若冰雪、綽約若處子。太真唐書、貴妃楊氏丐籍女冠、號太真。小玉雙成按、白居易詩、注、吳妖小玉飛作煙、越豔西施化爲土。注、小玉、吳王夫差女。按、漢武內傳、西王母命玉女董雙成吹雲和之笙。九華帳鮑照行路難、七綵芙蓉之羽帳、九華蒲桃之錦衾。按、九華、疑是古時花式之名。博物志、漢武帝好神仙、西王母遣使乘白鹿告帝當來、乃供帳九華殿以待之。闌干按、韻會、眼眶亦謂之闌干。吳越春秋、越王涕泣闌干。按、蔡琰胡笳、嘆息欲絕兮、淚闌干。按、闌干、淚流貌。昭陽殿三輔黃圖、武帝後宮八區有昭陽殿。蓬萊宮山海經、蓬萊山在海中。注、上有仙人宮室、皆以金玉爲之。鳥獸盡白、望之、如雲在渤海中矣。不見長安晉書明帝紀、帝幼而聰哲、爲元帝所寵異。年數歲、常坐置膝前、屬長安使來。因問帝曰、汝謂日與長安孰遠。對曰、長安近。不聞人從日邊來。元帝異之。明日宴羣僚。又問之。對曰、日近。元帝失色曰、何乃異間者之言乎。對曰、舉目則見日、不見長安。比翼爾雅、南方有比翼鳥焉。不比不飛、其名謂之鶼鶼。連理枝搜神記、韓憑墓樹多連理枝。孝經援神契、德至于草木、則木連理。長生殿會要、華清宮、天寶元年十月造長生殿、名爲集靈臺、以祀神。

琵琶行 并序

元和十年、余左遷九江郡司馬。明年秋、送客湓浦口、聞舟中夜彈琵琶者。聽其音、錚錚然有京都聲、問其人、本長安倡女、嘗學琵琶於穆曹二善才。年長色衰、委身爲賈人婦。遂命酒使快彈數曲、曲罷憫然。自敘少小時歡樂事、今漂淪顦顇、徙於江湖間。余出官二年、恬然自安、感斯人言、是夕始覺有遷謫意、因爲長歌以贈之、凡六百一十二言、命曰琵琶行。

潯陽江頭夜送客、楓葉荻花秋瑟瑟。主人下馬客在船、舉酒欲飲無管絃。醉不成歡慘將別、別時茫茫江浸月。忽聞水上琵琶聲、主人忘歸客不發。尋聲闇問彈者誰、琵琶聲停欲語遲。移船相近邀相見、添酒回鐙重開宴。千呼萬喚始出來、猶抱琵琶半遮面。轉軸撥絃三兩聲、未成曲調先有情。絃絃掩抑聲聲思、似訴生平不得志。（四句爲後文張本。）低眉信手續續彈、說盡心中無限事。輕攏慢撚抹復挑、（以下寫琵琶。）初爲霓裳後六幺。大絃嘈嘈如急雨、小絃切切如私語。嘈嘈切切錯雜彈、大珠小珠落玉盤。間關鶯語花底滑、幽咽流泉水下灘。水泉冷澀絃凝絕、凝絕不通聲漸歇。別有幽愁闇恨生、此時無聲勝有聲。銀瓶乍破水漿迸、鐵騎突出刀槍鳴。（應前。）曲終收撥當心畫、四絃一聲如裂帛。東船西舫悄無言、唯見江心秋月白。沉吟放撥插絃中、整頓衣裳起斂容。自言本是京城女、家在蝦蟆陵下住。十三學得琵琶成、名屬教坊第一部。

曲罷常教善才服、妝成每被秋娘妬。五陵年少爭纏頭、一曲紅綃不知數。
鈿頭銀篦擊節碎、血色羅裙翻酒汚。今年歡笑復明年、秋月春風等閒度。
弟走從軍阿姨死、暮去朝來顏色故。門前冷落車馬稀、老大嫁作商人婦。
商人重利輕別離、前月浮梁買茶去。去來江口守空船、繞艙明月江水寒。再應前。
夜深忽夢少年事、夢啼妝淚紅闌干。我聞琵琶已歎息、又聞此語重唧唧。
同是天涯淪落人、一句作詩之旨。相逢何必曾相識。我從去年辭帝京、謫居臥病潯陽城。
潯陽地僻無音樂、終歲不聞絲竹聲。住近湓城地低溼、黃蘆苦竹繞宅生。
其閒旦暮聞何物、杜鵑啼血猿哀鳴。春江花朝秋月夜、往往取酒還獨傾。
豈無山歌與村笛、嘔啞嘲哳難爲聽。今夜聞君琵琶語、如聽仙樂耳暫明。
莫辭更坐彈一曲、爲君翻作琵琶行。感我此言良久立、却坐促絃絃轉急。
悽悽不似向前聲、滿座重聞皆掩泣。座中泣下誰最多、江州司馬青衫溼。

左遷　漢書周昌傳、高祖召昌謂曰、公彊爲我相趙、吾極知其左遷、然吾私憂念、非公無可者。晉書杜預傳、優多劣少者敍用之、劣多優少者左遷之。　湓浦　九江志、青湓山有井形如盆、因號湓水、城曰湓城、浦曰湓浦。江州故有湓江。一統志、湓浦在九江府城西青湓山。潯陽城在府西北一十五里。　琵琶　劉公幹詩、琵瑟谷中風。攏撚樂府雜錄、貞元中、有裴興奴與曹鋼同時。曹善運撥、若風雨、而不事扣絃。興奴長於攏撚。時人謂曹有右手、裴有左手。六幺樂府雜錄、康崑崙善琵琶、登街東綵樓、彈一曲新翻羽調六幺、自謂街西無敵。大絃小絃韓詩外傳、治國者譬若張琴、大絃急則小絃絶矣。珠落盤吳都賦注、鮫人水底居、曾寓人家積日賣綃。臨去、從主人索器、泣而出珠滿盤、以與主人。間關詩、間關車之舝兮。撥按、撥、所以揮絃。明皇雜錄、楊妃琵琶、以龍香板爲撥。裂帛江淹恨賦、裂帛繫書、誓還漢恩。斂容漢書霍光傳、光每朝見、上虛己斂容禮下之。蝦蟆陵雍錄、蝦蟆陵在萬年縣南六里。按、萬年縣卽今西安咸甯縣也。按、國史補、董仲舒墓、門人過皆下馬、故謂之下馬陵。後人語訛爲蝦蟆陵。善才按、善才、蓋曲師之稱。秋娘見下。纏頭唐書、代宗詔許大臣燕郭子儀於其第。魚朝恩出錦三十疋爲纏頭之費、賞歌舞人。以錦綵置之頭上、謂之纏頭。宴享加惠、借以爲詞。浮梁唐書地理志、饒州鄱陽郡縣浮梁、武德四年置。唧唧木蘭詩、唧唧復唧唧。杜鵑啼血李膺蜀志曰、望帝稱王於蜀、時荊州有一人化、從井中出、名曰鼈靈。於楚身死、屍反泝流、上至汶山之陽、忽復生。乃見望帝、立以爲相。鼈靈乃鑿巫山開三峽、降邱宅土、民得陸居。望帝以其功高、禪位於鼈靈、號曰開明氏。望帝修道、處西山而隱、化爲杜鵑鳥、亦曰子規。寰宇記、蜀之後主、名杜宇、號望帝、讓位鼈靈。望帝自逃、後欲復位、不得、死化爲鵑、每春月晝夜悲鳴、蜀人聞之曰、我望帝魂也。華陽風俗志、杜鵑其大如鵲而羽烏、聲哀而吻有血。春至則鳴。本草集解、杜鵑、春暮卽鳴、鳴必北向、其聲哀而吻有血、至夏尤甚、徹夜不止。猿鳴宜都山川記、峽中猿鳴至清、山谷傳其響、泠泠不絕。行者歌之曰、巴東三峽巫峽長、猿鳴三聲淚霑裳。按、猿似猴、大、黑色、長前臂。嘔啞嘔、韻會音歐。啞、韻會音雅。集韻、嘔啞、小兒學言。嘲哳潘岳籍田賦、簫管嘲哳以啾嘈兮。按、此嘲哳當作啁哳。見韻府啁哳注。九辯、鵾雞啁哳而悲鳴。司馬按、唐書百官志、刺史之僚佐、有司馬一人、位在別駕長史之下。上州者從五品下、中州者正六品下、下州者從六品上。青衫唐書儀衛志、凡五路、皆有副、駕士皆平幘、大口綺衫、從路色、玉路服青衫。

李商隱

字義山、河內人。開成中進士、官宏農尉。會昌中、王茂元鎮河陽、辟掌書記、得侍御史。茂元以子妻之。李德裕素厚茂元、而李宗閔令狐楚與德裕爲讎、以商隱爲茂元從事、薄之。後楚子綯作相、商隱屢啓陳情、綯不之省。會河南尹柳仲郢鎮東蜀、辟爲節度判官。大中末、仲郢左遷、商隱罷、未幾、卒。按、商隱博學強記、有所作多檢閱書冊、左右鱗次、號獺祭魚。

韓碑

元和天子神武姿、彼何人哉軒與羲。誓將上雪列聖恥、坐法宮中朝四夷。
淮西有賊五十載、封狼生貙貙生羆。不據山河據平地、長戈利矛日可麾。
帝得聖相相曰度、賊斫不死神扶持。腰懸相印作都統、陰風慘澹天王旗。
愬武古通作牙爪、儀曹外郎載筆隨。行軍司馬智且勇、十四萬衆猶虎貔。
入蔡縛賊獻太廟、功無與讓恩不訾。帝曰汝度功第一、汝從事愈宜爲辭。
愈拜稽首蹈且舞、金石刻畫臣能爲。古者世稱大手筆、此事不繫于職司。
當仁自古有不讓、言訖屢頷天子頤。公退齋戒坐小閣、濡染大筆何淋漓。
詠韓碑即學韓體、才大者無所不可也。
點竄堯典舜典字、塗改清廟生民詩。文成破體書在紙、清晨再拜鋪丹墀。

表曰臣愈昧死上、詠神聖功書之碑。碑高三丈字如斗、負以靈鼇蟠以螭。句奇語重喻者少、讒之天子言其私。長繩百尺拽碑倒、麤砂大石相磨治。公之斯文若元氣、先時已入人肝脾。湯盤孔鼎有述作、今無其器存其辭。嗚呼聖王及聖相、相與烜赫流淳熙。公之斯文不示後、曷與三五相攀追。願書萬本誦萬遍、口角流沫右手胝。傳之七十有二代、以爲封禪玉檢明堂基。

韓碑　舊唐書韓愈傳、元和十二年八月、宰臣裴度爲淮西宣慰處置使、請愈爲行軍司馬。淮蔡平、十二月隨度還朝、以功授刑部侍郎、仍詔撰平淮西碑。碑辭多敍裴度事。時入蔡擒吳元濟、李愬功第一。愬不平之。愬妻、唐安公主女也。出入禁中、因數碑不實、詔令磨去愈文、命翰林學士段文昌重撰文勒石。按、段文昌改作亦自明順、然較之韓碑、不啻蟲吟草間矣。宋代、陳珦磨去段文、仍立韓碑、大是快事。一統志、平淮西碑在河南汝寧府城內裴晉公廟中。按、元和、唐憲宗年號。神武周易、神武而不殺。軒羲昭明太子詩、漓名冠子姒、德澤邁軒羲。按、黃帝有熊氏、公孫姓、名軒轅、在位百年。太昊伏羲氏、風姓、在位一百十五年。法宮中漢書鼂錯傳、五帝神聖、處法宮之中。淮西賊史、肅宗寶應初、以李忠臣鎭蔡州。大曆末、爲軍所逐。歷李希烈、陳仙奇、吳少誠、吳少陽、元濟、據有淮西凡五十餘年。按、韓愈平淮西碑、九年、蔡將死、蔡人立其子元濟以請、不許、遂燒舞陽、犯葉襄城、以動東都、放兵四劫。皇帝歷問於朝、一二臣外、皆曰蔡帥之不廷授、於今五十年、傳三姓四將、其樹本堅、兵利卒頑、不與他等、因撫而有、順且無事。大官臆決唱聲、萬口附和、幷爲一談、牢不可破。封狼

貙羆 張衡思玄賦、射嶓冢之封狼。注、封、大也。說文、貙似狸、能捕獸。一云、虎五指爲貙。爾雅、羆如熊、黃白文。柳宗元熊說、鹿畏貙、貙畏虎、虎畏羆。

據平地 舊唐書、吳少誠阻兵三十餘年、王師未嘗及其城下。嘗走韓全義、敗于頓、驕悍無所顧忌。又恃陂浸阻迴、故以天下兵環攻、三年所得者一縣而已。

日可麾 淮南子、魯陽公、楚將也。與韓遘難。戰酣、日暮、援戈而麾之、日爲之反三舍。 聖相曰度 晏子春秋、仲尼、聖相也。唐書、元和十年六月、上召裴度入對、拜中書侍郎、同平章事。 賊斫不死 唐書裴度傳、度御史中丞、進兼刑部侍郎。王承宗李師道謀緩蔡兵、乃伏盜京師、刺用事大臣、已害宰相武元衡、又擊度、刃三進、斷鞾、刜背裂中單、又傷首、墮溝中。度氈帽厚、得不死。 都統 通考、天寶末、置天下兵馬元帥都統。裴度傳、元和十二年七月、度身督戰、帝獨目度曰、果爲朕行乎。度俯伏流涕曰、臣誓不與賊偕存。即拜門下侍郎平章事、彰義軍節度使、淮西宣慰招討處置使。入對延英曰、主憂臣辱、義在必死。賊未授首、臣無還期。帝壯之。 愬武古通 唐書、元和十一年十二月、李愬爲隋唐鄧節度使。十年九月、韓弘爲淮西都統。弘請使子公武以兵萬三千會蔡下。十一年、李道古爲鄂岳觀察使。十一年十二月、李文通爲壽州團練使。碑文、光顏、重允、公武合攻其北、道古攻其東南、文通戰其東、愬入其西。 牙爪 詩、祈父、予王之牙爪。 外郎載筆 舊唐書、以司勳員外郎李正封、都官員外郎馮宿、禮部員外郎李宗閔、皆兼御史。從度出征。禮記、史載筆。 行軍司馬 唐書、度奏右庶子韓愈兼御史中丞、充彰義軍行軍司馬。唐書百官志、行軍司馬掌彌戎政。居則習蒐狩、有役則申戰守之法。器械糧糒、軍籍賜予、皆專焉。 虎貔 尚書牧誓、尚桓桓、如虎如貔、如熊如羆、于商郊。注、桓桓、威武貌。欲將士如四獸之猛、而奮擊于商郊也。 入蔡縛賊 唐書李愬傳、愬字元直、以父蔭起家。憲宗討吳元濟、愬求自試、遂檢校左散騎常侍、爲唐鄧節度使將。襲蔡州、告師期于裴度。會大雨雪、風偃旗裂膚、馬皆縮慄、士抱戈凍死於道十一二。夜半、至懸瓠城。雪盛、城旁皆鵝鴨池。愬令擊之以亂軍聲。坎墉先登、殺門者、發關、留持柝、傳夜自如。黎明雪止、愬入、駐元濟外宅。蔡吏驚曰、城陷矣。元濟尚不信、及聞號令曰、常侍傳語。始驚曰、何常侍得至此。率左右登牙城、田進誠兵薄之、火南門。元濟請罪、梯而下、檻送京師。獻太廟唐書、十二年十月己卯、李
愬執吳元濟送長安、帝御興安門受俘、以元濟獻廟社。徇於市、斬之。功無與讓庾信商調曲、功無與讓、銘太常之旌。恩不訾唐書、度策勳、進
金紫光祿大夫上柱國、封晉公、戶三千。管子、百姓之不田、貧富之不訾。注、訾、限也。商子、愬令篇、訾粟而稅。注、訾、量也。按、訾、亦作貲。又按、呂公著定州
謝上表、百年舊族、荷累聖不貲之恩。一介餘軀、辱主上非常之遇。大手筆晉書王珣傳、夢人以大筆如椽與之、既覺、語人曰、此當有大手筆事。唐書、蘇頲封
許國公、張說封燕國公。時號燕許大手筆。當仁不讓論語、當仁不讓於師。頷頤郭璞詩、洪崖頷其頤。破體按、程注、破體、破當
時爲文之體。又按、法書苑、徐浩論書云、鍾善真書、右軍行法、稍令破體、皆一時之妙。負靈鼇說文、鼇、海中大鼈。玉篇、神靈之鼇、背負蓬萊。
蟠螭說文、螭如龍而黃。靈光殿賦、蟠螭宛轉而承楣。肝脾繁欽與魏文帝牋、薛訪車子、年始十四、能轉喉引聲、與笳同音、悽入肝脾、哀感頑豔。
湯盤孔鼎史記正義、湯沐浴之盤而刻銘爲戒。禮記、湯之盤銘曰、苟日新、日日新、又日新。左傳、孔丘、聖人之後也。其祖弗父何、以有宋而授厲公。及正
考父佐戴武宣、三命茲益共。故其鼎銘云、一命而僂、再命而傴、三命而俯。循牆而走、亦莫予敢侮。三五按、三五、三皇五帝也。流沫揚雄解嘲、頷
頤折頞、涕涶流沫。胝廣韻、胝、皮厚也。七十二史記、古者封泰山禪梁父者七十二家。封禪玉檢封禪儀、玉牒長一尺三寸、廣厚
五寸。玉檢如之、厚減三寸。其印齒如璽、纏以金繩五周。

唐詩三百首補註卷四

七言樂府

高適　字達夫、一字仲武。滄洲人。舉有道科、授封丘尉。哥舒翰表爲書記。翰兵敗、奔赴行在、遷左拾遺侍御史、擢諫議大夫、出爲彭蜀二州刺史、西河節度使。入爲刑部侍郎。廣德中、以左散騎常侍封渤海侯、謚曰忠。按、適年五十始爲詩、每一篇出、爲時稱頌。

燕歌行

開元二十六年、客有從元戎出塞而還者、作燕歌行以示適。感征戍之事、因而和焉。

漢家煙塵在東北、漢將辭家破殘賊。男兒本自重橫行、天子非常賜顏色。
摐金伐鼓下榆關、旌旆逶迤碣石間。（路遠。）校尉羽書飛瀚海、單于獵火照狼山。（敵勁。）
山川蕭條極邊土、胡騎憑陵雜風雨。（邊寒。）戰士軍前半死生、美人帳下猶歌舞。（苦者自苦。樂者自樂。）
大漠窮秋塞草衰、孤城落日鬭兵稀。（兵少。）身當恩遇常輕敵、力盡關山未解圍。（本以身許。不克成功。）
鐵衣遠戍辛勤久、（以下寫室家之思。）玉筯應啼別離後。少婦城南欲斷腸、征人薊北空回首。

邊風飄飄那可度、絶域蒼茫更何有。殺氣三時作陣雲、寒聲一夜傳刁斗。相看白刃血紛紛、死節從來豈顧勳。君不見沙場爭戰苦、至今猶憶李將軍。

燕歌行 按、魏文帝有燕歌行。歌錄、燕、地名、猶楚苑之類。此不言古辭、起自此也。樂府解題曰、晉樂府奏魏文帝秋風別日二曲、時序遷換、行役不歸、婦人怨曠無所訴也。廣題曰、燕、地名、言良人從役於燕而爲此曲。 煙塵 蔡琰胡笳、煙塵蔽野兮胡虜盛。 殘賊 詩、廢爲殘賊、莫知其尤。 橫行 史記、樊噲曰、臣願得十萬衆、橫行匈奴中。 摐金伐鼓 子虛賦、摐金鼓、吹鳴籟。注、摐、擊也。毛詩、鉦人伐鼓。 榆關 漢書枚乘傳、北備榆中之關。注、卽今榆關也。地理通釋、趙之上黨、燕之榆關。 逶迤 楚辭、戴雲旗之逶迤。 碣石 唐書地理志、平州石城縣有碣石山。水經注、碣石、右北平驪城縣西南。漢武登之、以望巨海。 校尉 漢書、八校尉、秩皆二千石。 獵火 庾信詩、寒沙兩岸白、獵火一山紅。 狼山 魏志、太祖北征烏丸、登白狼山。一統志、山在寧夏衛城東南二百九十里。 憑陵 左傳、憑陵我城郭。 風雨 新序、韓安國曰、匈奴來若風雨、解若收電。 半死 史記、陵軍五千人、士死者過半。 大漠 漢書、燕然山銘、經磧鹵、絶大漠。李陵書、出大漠之外。 孤城 後漢書、耿恭以孤城守甲兵於絶域。 鬬兵 說苑、君子守國安民、非特鬬兵。 恩遇 後漢賈復傳、恩遇甚厚。 輕敵 老子、禍莫大於輕敵。 解圍 新序、高帝圍於平城、七日乃解圍。 玉筯 梁簡文帝詩、玉筯衣前滴。劉孝威詩、誰憐雙玉筯、流面復流襟。 城南 曹植詩、借問女何居、乃在城南端。 薊北 孔稚圭詩、徵兵離薊北。 陣雲 庾信詩、君討漁陽少陣雲。 刁斗 史記李廣傳、廣行無部伍行陣、就善水草屯舍止。人人自便、不擊刁斗以自衛。注、以銅作鐎器、受一斗、晝炊飯食、夜擊持行、名曰刁斗。死節史記貨殖傳、賢人守信死節。李將軍史記、李牧厚遇戰士。匈奴入、急收保。匈奴數歲無所得、邊士皆願一戰。於是多爲奇陣、張左右翼擊之、破匈奴十餘萬騎。單于數十載不敢近趙。

李頎

古從軍行

白日登山望烽火、黃昏飲馬傍交河。行人刁斗風沙暗、公主琵琶幽怨多。野營地廣。萬里無城郭、雨雪天寒。紛紛連大漠。胡雁所聞。哀鳴夜夜飛、胡兒所見。眼淚雙雙落。聞道玉門猶被遮、應將性命逐輕車。年年戰骨埋荒外、空見蒲萄入漢家。

從軍行樂府解題曰、從軍行、皆軍旅苦辛之辭。廣題曰、左延年辭云、苦哉邊地人、一歲三從軍。三子到燉煌、二子詣隴西。五子遠鬬去、五婦皆懷身。陳伏知道又有從軍五更轉。交河漢書西域傳、車師前王居交河城。河水分流繞城、故號交河。去長安八千一百五十里。公主琵琶石崇序、昔公主嫁烏孫、令琵琶馬上作樂、以慰其道路之思。輕車周禮注、輕車、用以馳敵致師之車也。漢書、李廣弟蔡、元朔中爲輕車將軍。蒲萄按、萄作陶、亦作桃。漢書西域傳、大宛左右、以蒲桃爲酒、富人藏之、酒至萬餘石。宛貴人立蟬封爲王、遣子入侍、質於漢。漢因使使賂賜鎮撫之。宛王蟬封與漢約、歲獻天馬二匹。漢使采蒲陶首蓿種歸。天子以天馬多、又外國使來衆、益種蒲陶首蓿離宮館傍、極望焉。

王維

洛陽女兒行

洛陽女兒對門居、纔可顏容十五餘。良人玉勒乘驄馬、侍女金盤鱠鯉魚。畫閣珠樓盡相望、紅桃綠柳垂簷向。羅幃送上七香車、寶扇迎歸九華帳。狂夫富貴在青春、意氣驕奢劇季倫。自憐碧玉親教舞、不惜珊瑚持與人。春窗曙滅九微火、九微片片飛花瑣。戲罷曾無理曲時、妝成祇是熏香坐。城中相識盡繁華、日夜經過趙李家。誰憐越女顏如玉、貧賤江頭自浣紗。與西施詠同一寓意。

洛陽女兒 梁武帝河中之水歌、河中之水向東流、洛陽女兒名莫愁。 對門居 梁武帝樂府、誰家女兒對門居。 玉勒 庾信馬射賦、控玉勒而搖星、跨金鞍而動月。 金盤 羽林郎古詩、就我求珍餚、金盤鱠鯉魚。 七香車 魏武帝與楊彪書曰、今贈足下四望通幰七香車二乘、青牸牛二頭。梁簡文帝烏棲曲、青牛丹轂七香車。 季倫 晉書、石崇字季倫、財產豐積、室宇宏麗。後房百數、皆曳紈繡、珥金翠。絲竹盡當時之選、庖膳窮水陸之珍。與貴戚王愷羊琇之徒、以奢靡相尚。愷以粭澳釜、崇以蠟代薪。愷作紫絲布步障四十里、崇作錦步障五十里以敵之。崇塗屋以椒、愷用赤石脂。崇愷爭豪如此。武帝每助愷、嘗以珊瑚樹賜之、高二尺許、枝柯扶疏、世所罕比。愷以示崇、崇便以鐵如意擊之、應手而碎。愷既惋惜、又以爲嫉己之寶、聲色方厲。崇曰、不足多恨、今還卿。乃命左右、悉取珊瑚樹、有高三四尺者六七株、條幹絕俗、光彩曜日。如愷比者甚衆。愷悵然自失矣。 碧玉 按、宋汝南王妾碧玉、寵愛之、因作歌。梁元帝詩、碧玉小家女、來嫁汝南王。 九微火 漢武內傳、七月七日設座大殿上、以紫羅薦地、燔百木之香、燃九光九微之燈、以待王母。何遜詩、月映九微火、風吹百和香。

理曲古詩、當戸理清曲。徐陵玉臺新詠序、五日猶賒、誰能理曲。趙李阮籍詠懷詩、西游咸陽中、趙李相經過。顏延年注、趙、漢成帝趙后飛燕也。李、漢武帝李夫人也。漢書谷永傳云、成帝數爲微行、多近幸小臣。趙李從微賤專寵、皆皇太后與諸舅夙夜所常憂。按、此指趙飛燕李平二女寵而言也。王右丞集註、亦作指趙李二家戚屬言也。按、敍傳云、會許皇后廢、班婕妤供養東宮。進侍者李平爲婕妤、而趙飛燕爲皇后。顏如玉古詩、燕趙多佳人、美者顏如玉。

老將行

從年少起。

少年十五二十時、步行奪得胡馬騎。射殺山中白額虎、肯數鄴下黃鬚兒。一身轉戰三千里、一劍曾當百萬師。漢兵奮迅如霹靂、虜騎奔騰畏蒺藜。衛青不敗由天幸、李廣無功緣數奇。起下。自從棄置便衰朽、世事蹉跎成白首。以下寫廢棄至老情景。昔時飛箭無全目、今日垂楊生左肘。路傍時賣故侯瓜、門前學種先生柳。蒼茫古木連窮巷、寥落寒山對虛牖。誓令疏勒出飛泉、不似潁川空使酒。二句又起下。以下明老而復起之故。賀蘭山下陣如雲、羽檄交馳日夕聞。節使三河募年少、詔書五道出將軍。試拂鐵衣如雪色、聊持寶劍動星文。願得燕弓射大將、恥令越甲鳴吾君。莫嫌舊日雲中守、猶堪一戰立功勳。

奪胡馬史記、李廣兵敗、胡騎得廣、廣佯死。睨其傍有一胡兒騎善馬、廣暫騰而上胡兒馬。因推墮兒、取其弓、鞭馬南馳得脫。白額虎晉書周處傳、

處好田獵、父老歎曰、三害未除。處曰、何謂也。曰、南山白額虎、長橋下蛟、幷
子爲三矣。處乃入山射虎、沒水殺蛟。遂勵志好學、志存義烈。期年、州府交辟。黃
鬚兒魏志、任城王彰、少善射御。太祖轉戰後漢書、踰越險阻、轉戰千里。霹靂
喜、持彰鬚曰、黃鬚兒竟大奇也。按、轉戰、謂相馳逐戰鬥也。
爾雅、疾雷爲霆霓。注、雷之急擊者爲霹靂。隋蒺藜爾雅翼、軍旅以鐵作茨布敵路、
書、長孫晟爲總管、突厥聞其弓聲、謂爲霹靂。謂之鐵蒺藜。埤雅、蒺藜布地
蔓生、子有三角、刺人。狀如蔆而小。今衞青不敗漢書、衞青拜車騎將軍。至蘢
兵家乃鑄鐵爲之、以梗敵路。亦呼蒺藜。城、斬首虜數百。天子使使即
軍中拜爲大將軍。霍去病從大將軍爲嫖姚校尉、敢深入軍、亦有天李廣無功史記李
幸、未嘗困絕。按、天幸、乃霍去病事。今指衞青、蓋借用也。廣傳、
元朔六年、廣復爲後將軍、從大將軍軍出定襄、擊匈奴、諸將多中首虜、率以功爲侯
者、而廣軍無功。元狩四年、廣從大將軍青擊匈奴、青陰受上誡、以爲李廣老數奇、
毋令當單于。全目帝王世紀、帝羿有窮氏與吳賀北遊。賀使羿射雀。羿曰、生之乎、
按、奇音基。殺之乎。賀曰、射其左目。羿引弓射之、誤中右目。羿抑首而愧、
終身不忘。故羿之善射、至今左肘莊子、支離叔與滑介叔觀於冥伯之邱、崑崙之墟、
稱之。鮑照詩、驚雀無全目。黃帝之所休。俄而柳生其左肘。其意蹶蹶然惡之。
注、柳、瘍瘤也。按、右丞衍柳爲垂楊。聞人倓註、以爲誤甚。然右丞全集五古中、
有胡居士臥病遺米因贈詩、徒言蓮花目、豈惡楊枝肘。則以柳作楊、當另有解矣。
故侯瓜史記、邵平者、故秦東陵侯。秦破、爲布衣。先生柳陶潛五柳先生傳、先生、不
貧、種瓜於長安。瓜美、世謂之東陵瓜。知何許人、亦不詳其姓氏。
宅邊有五柳、虛牖慧淨詩、落疏勒出泉後漢耿恭傳、恭以疏勒城傍有澗水可固、
因以爲號。照侵虛牖。乃引兵據之。匈奴於城下擁絕澗水、恭於
城中穿井十五丈不得水。吏士渴乏、笮馬糞汁而飲之。恭仰天歎曰、聞昔貳師將軍、
拔佩刀刺山、飛泉湧出。今漢德神明、豈有窮哉。乃整衣服、向井再拜、爲吏士禱。
有頃、水泉奔出、乃令吏士揚水潁川使酒史記、灌夫爲人剛直、使酒、家累數千
以示虜。虜以爲神、遂引去。萬、食客日數十百人。陂池田園、宗族

賓客、爲權利橫於潁川。師古曰、使酒、因酒而使氣也。**賀蘭山**元和郡縣志、賀蘭山在靈州保靜縣西九十三里。其山有樹木青白、望如駮馬。北人呼駮爲賀蘭。其山阿東望雲中、形勢相接、迤邐向北經靈武縣、又西北經保靜西、又北經定遠城西、又東北抵河。其抵河之處、亦名乞伏山、在黃河西。從首至尾、有像月形。南北約長五百餘里、直邊城之拒防山之東。**陣雲**史記、陣雲如立垣。**羽檄**陸倕石闕銘、羽檄交馳、軍書狎至。**節使**通典、朔方有寇戒之地、則加以旌節、謂之節度使。**三河**史記、漢王悉發關內兵、收三河士。史記貨殖傳、昔唐人都河東、殷人都河內、周人都河南。夫三河、在天下之中、若鼎足、王者所更居也。水經注、韋昭曰、河南、河東、河內爲三河也。**五道出將軍**漢書傳介子傳、漢大發十五萬騎、五將軍分道出。宣帝紀、御史大夫田廣明爲祁連將軍、後將軍趙充國爲蒲類將軍、雲中太守田順爲虎牙將軍、及度遼將軍范明友、前將軍韓增、咸擊匈奴。**星文**吳筠詩、劍抱七星文。**燕弓**周禮、燕之角翰曰角弓、出幽燕。**越甲**說苑、越甲至齊、雍門子狄請死之。齊王曰、鼓鐸之聲未聞、矢石未交、長兵未接、子何務死之爲。雍門子狄對曰、昔者王田於囿、左轂鳴、車右請死之。王曰、左轂鳴、工師之罪也、子何事之有焉。車右曰、臣不見工師之乘、而見其鳴吾君也。遂刎頸而死。知有之乎。齊王曰、有之。雍門子狄曰、今越甲至、其鳴吾君、豈左轂之下哉。車右可以死左轂、而臣獨不可死越甲也。遂刎頸而死。是日、越人引甲而退七十里。曰、齊王有臣、鈞如雍門子狄、擬使越社稷不血食。遂引甲而歸。齊王葬雍門子狄以上卿之禮。**雲中守**史記馮唐傳、馮唐曰、臣竊聞魏尚爲雲中守、其軍市租、盡以饗士卒私養錢。五日一椎牛饗賓客、軍吏、舍人。是以匈奴遠遊、不近雲中之塞。上功首虜差六級、陛下下之吏、削其爵。由此言之、陛下雖得廉頗李牧弗能用也。文帝悅。是日、令馮唐持節、赦魏尚、復以爲雲中守。括地志、今大同府、古雲中郡也。

桃源行

漁舟逐水愛山春、兩岸桃花夾古津。坐看紅樹不知遠、行盡青溪忽值人。山口潛行始隈隩、山開曠望旋平陸。遙看一處攢雲樹、近入千家散花竹。樵客初傳漢姓名、居人未改秦衣服。居人共住武陵源、還從物外起田園。月明松下房櫳靜、日出雲中雞犬喧。驚聞俗客爭來集、競引還家問都邑。平明閭巷掃花開、薄暮漁樵乘水入。初因避地去人間、更問神仙遂不還。峽裏誰知有人事、世中遙望空雲山。不疑靈境難聞見、塵心未盡思鄉縣。出洞無論隔山水、辭家終擬長遊衍。自謂經過舊不迷、安知峯壑今來變。當時只記入山深、青谿幾度到雲林。春來遍是桃花水、不辨仙源何處尋。

桃源　陶潛桃花源記、晉太元中、武陵人捕魚爲業。緣溪行、忘路之遠近。忽逢桃花林、夾岸數百步、中無雜樹。芳草鮮美、落英繽紛。漁人甚異之。復前行、欲窮其林。林盡水源、便得一山。山有小口、髣髴若有光。便捨舟從口入。初極狹、纔通人。復行數十步、豁然開朗。土地平曠、屋舍儼然。有良田美池、桑竹之屬。阡陌交通、雞犬相聞。其中往來種作、男女衣著、悉如外人。黃髮垂髫、並怡然自樂。見漁人、乃大驚。問所從來、具答之。便要還家、設酒殺雞作食。村中聞有此人、咸來問訊。自云先世避秦時亂、率妻子邑人來此絕境、不復出焉。遂與外人間隔。問今是何世、乃不知有漢、無論魏晉。此人一一爲具言所聞、皆歎惋。餘人各復延至其家、皆出酒食。停數日、辭去。此中人語云、不足爲外人道也。既出、得其船、便扶向路、處處誌之。及郡下、詣太守說如此。太守卽遣人隨其往。尋向所誌、遂迷、不復得路。

南陽劉子驥、高尚士也。聞之欣然、欲往、未果、尋病終。後遂無問津者。隈隩玉篇、隈、水曲也。隩、水涯也。謝靈運詩、逶迤傍隈隩。雲樹劉孝威詩、雲樹交爲密。武陵武陵先賢傳、潘京世長爲郡主簿、太守趙偉問京、貴郡何以爲武陵。京答曰、鄙郡泰名義陵、在辰陽縣界、與夷相接、數爲所破。光武時、移治東山之上、遂爾易號。傳曰、止戈爲武、高平曰陵、於是名焉。房櫳班婕妤賦、房櫳虛兮、風泠泠。注、櫳、疏檻也。吳都賦注、櫳、房室之疏也。來集禮記、四方來集。平明謝靈運詩、平明登雲峯。楚辭、平明發兮蒼梧。薄暮廣雅、日將入曰薄暮。乘水管子、蛟龍乘水則神立。峽讚會、山峭夾水曰峽。雲山蔡琰胡笳、雲山萬重兮、歸路遐。靈境謝靈運詩、靈境信難留。游衍詩、及爾游衍。桃花水漢書、來春桃花水盛。師古注、仲春之月始雨水、桃始花。蓋桃方花時、既有雨水、川谷冰泮、衆流猥集、波瀾甚長、故謂之桃花水耳。韓詩章句、三月桃花水下時、鄭國之俗、上巳祓除不祥。仙源雲笈七籤、福地第四曰東仙源、第五曰西仙源。庾信詩、更尋終不見、無異桃花源。

李白

蜀道難

噫吁嚱、危乎高哉、蜀道之難難於上青天。蠶叢及魚鳧、開國何茫然。
爾來四萬八千歲、不與秦塞通人煙。西當太白有鳥道、可以橫絶峨嵋巓。
地崩山摧壯士死、然後天梯石棧方鉤連。上有六龍迴日之高標、下有衝
波逆折之迴川。黃鶴之飛尚不得過、猨猱欲度愁攀緣。青泥何盤盤、百

步九折縈巖巒。捫參歷井仰脅息、以手撫膺坐長歎。問君西遊何時還、畏途巉巖不可攀。但見悲鳥號古木、雄飛從雌繞林間。又聞子規啼夜月、愁空山。蜀道之難難於上青天、使人聽此凋朱顏。連峯去天不盈尺、枯松倒挂倚絕壁。飛湍瀑流爭喧豗、砯崖轉石萬壑雷。其險也若此、嗟爾遠道之人胡爲乎來哉。劍閣崢嶸而崔嵬、一夫當關、萬夫莫開。所守或匪親、化爲狼與豺。朝避猛虎、夕避長蛇、磨牙吮血、殺人如麻。錦城雖云樂、不如早還家。蜀道之難難於上青天、側身西望長咨嗟。結出通篇主意。

蜀道難　古今樂錄曰、王僧虔技錄有蜀道難行、今不歌。樂府解題、蜀道難、備言銅梁玉壘之阻、與蜀國絃頗同。尚書談錄曰、李白作蜀道難以罪嚴武、後陸暢謁韋南康皋於蜀郡、感韋之遇、遂反其詞、作蜀道易云、蜀道易、易於履平地。唐書嚴武傳、武節度劍南、房琯以故相爲巡內刺史。武慢倨不爲禮。最厚杜甫、然欲殺甫數矣。李白爲蜀道難者、蓋爲房與杜危之也。按、唐詩別裁解云、諸解紛紛。蕭士贇謂祿山亂華、天子幸蜀而作。爲得其解。臣子忠愛之辭、不比尋常穿鑿。又按、太白集註解、胡震亨曰、此詩說者不一、有謂爲嚴武鎮蜀放恣、危房琯杜甫而作者。出范攄雲溪友議、新史所採也。有謂爲章仇兼瓊作者。沈存中洪駒父駁前說、而爲之說者也。有謂諷玄宗幸蜀之非者。蕭士贇註語也。兼瓊在蜀、無據險跋扈之跡、可當斯語。而嚴武出鎮在至德後、玄宗幸蜀在天寶末、與此詩見賞賀監在天寶初者、年歲亦皆不合。則此數說似並屬揣摩。愚謂蜀道難自是古相和歌曲。梁陳間擬者不乏、詎必盡有爲而作。白、蜀人、自爲蜀詠耳。言其險、更著其戒。如云、所守或匪親、化爲狼與豺。風人之義遠矣。必求一時一人之事以實之、不幾失之鑿乎。噫吁嚱 宋景文筆記、蜀人見物驚異輒曰噫吁嚱。李白作蜀道難因用之。注、噫、音衣。嚱、音希。蠶叢魚鳧 揚雄蜀王本紀、蜀王之先、名蠶叢、栢灌、魚鳧、蒲澤、開明。是時、人民椎髻哤言、不曉文字、未有禮樂。從開明上至蠶叢、積三萬四千歲。成都記、魚鳧獵湔山、得道乘虎而去、杜宇遂繼魚鳧。秦惠王滅蜀、封公子通爲蜀侯。惠王二十七年、使張儀築都城。後置蜀郡、以李冰爲守。冰穿兩江、爲人開田。百姓享其利、蜀人始通中國。秦塞 史記、秦四塞之國。人煙 曹植詩、千里無人煙。太白鳥道 愼蒙名山記、太白山在鳳翔府郿縣東南四十里。鍾西方金宿之秀、關中諸山、莫高於此。其山巔高寒、不生草木、常有積雪不消、盛夏視之猶爛然、故以太白名。鳥道、謂連山高峻、少低缺處、惟飛鳥過此、以爲徑路。總見人跡所不能至也。按、本集注、太白山在洋州眞符縣、山面隸鳳翔、山背屬眞符。南中志、鳥道四百里。地崩山摧壯士死 蜀王本紀、天爲蜀生五丁力士、能徙山。秦王獻美女與蜀王、遣五丁迎女。見一大蛇入山穴中、五丁共引蛇、山崩、壓殺五丁、秦女皆化爲石、而山分爲五嶺。天梯 王逸九思、緣天梯兮北上、登太乙兮玉臺。棧 漢書張良傳、說漢王燒絕棧道。注、棧、險絕之處、旁鑿山巖、施版梁爲閣也。梁州圖經、棧道連空、極天下之至險。通志、棧道在褒斜谷中。六龍迴日 淮南子、爰止羲和、爰息六螭、是謂懸車。注、日乘車、駕以六龍、羲和御之。日至此而薄於虞泉、羲和至此而迴六螭。高標 蜀都賦、羲和假道於峻岐、陽烏回翼乎高標。圖經、高標山、一名高望、乃嘉定府之主山。巋然高峙、萬象在前。衝波逆折 陸機連珠、衝波安流。上林賦、橫流逆折。注、逆折、旋回也。猨猱 埤雅、猨、猴屬。長臂善嘯、便攀援。韻會、猱、母猴、似人。爾雅、猨猱善援。注、便攀援也。青泥 九域志、興州有青泥嶺、乃入蜀之路。元和志、青泥嶺在興州長舉縣西北五十三里。上多雲雨、行者多逢泥淖。九折 天台賦、既克隮於九折。水經注、邛崍山南有九折坂、夏則凝冰、冬則毒寒。巖巒 徐悱詩、衿帶盡巖巒。爾雅、巒、山墮。注、山形長狹者。荊州謂之巒。說文、小山而高曰巒。捫參歷

井楚辭、遂倏忽而捫天。按、捫參歷井者、謂仰視天星、去人不遠、若可以手捫及之。極言其嶺之高也。按、星經、參井二星本相近、參、三星。居西方、七宿之末、占度十、爲蜀之分野。井、八星。居南方、七宿之首、占度三十三、爲秦之分野。又按、青泥嶺乃自秦入蜀之路、故舉二方分野之星相聯者言之。**脅息**高唐賦、脅息增欷。李善注、脅息、縮氣也。通鑑注、脅息者、屏氣鼻不敢息、唯兩脅潛動以舒息耳。漢書、豪強脅息。注、脅、斂也。屏氣而息。**撫膺**列子、齊子撫膺而恨。**畏途**莊子、夫畏途者十殺一人、則父子兄弟相戒也。**巉巖**新論、舜捐黃金于巉巖之山。**雄飛從雌**雉子班古辭、雄子高飛止、黃鵠高飛已千里、雄來飛、從雌視。**朱顏**王康琚詩、凝霜凋朱顏。**飛湍**李巨仁詩、定檝下飛湍。**瀑流**會稽記、懸霤千仞謂之瀑布。飛流灑散、冬夏不竭。**喧豗**海賦、磊匒匌而相豗。注、相豗、相擊聲也。韵會、豗、喧聲。**砯**江賦、砯巖鼓作。注、砯、水擊巖之聲也。砯、音烹。**萬壑雷**上林賦、礧石相擊、若雷霆之聲。世說、萬壑爭流。**匪親**張載劍閣銘、形勝之地、匪親勿居。**狼豺**史記、韓安國傳、雖有親父、安知其不爲虎。雖有親兄、安知其不爲狼。爾雅釋獸、豺、狗足。疏、豺、貪殘之獸。說文、豺、狼屬。**猛虎**司馬遷書、猛虎在深山。**長蛇**左傳、吳爲封豕長蛇、以薦食上國。山海經圖贊、長蛇百尋、其鬣如彘。飛羣走類、靡不吞噬。極物之惡、盡毒之利。**磨牙**長楊賦、鑿齒之徒、相與磨牙而爭之。**吮**吮、徂兗切、前上聲。廣韻、吮、嗽也。史記吳起傳、卒有病疽者、起爲吮之。**如麻**史記天官書、死人如亂麻。**錦城**元和志、錦城在成都縣南十里。故錦官城也。按、錦官、或以其地有錦官、如銅官鹽官之類。益州記、錦城在益州南、笮橋東、流江南岸。蜀時故錦官處也。號錦里、城墉猶在。**雖云樂**古詩、客行雖云樂、不如早旋歸。**側身西望**張衡四愁詩、側身西望涕霑裳。**咨嗟**鮑照詩、絃絕空咨嗟。

長相思　二首

長相思、在長安。絡緯秋啼金井闌、微霜淒淒簟色寒。孤燈不明思欲絕、卷帷望月空長歎。美人如花隔雲端、上有青冥之長天、下有綠水之波瀾。天長地遠魂飛苦、夢魂不到關山難。長相思、摧心肝。

日色欲盡花含煙、月明欲素愁不眠。趙瑟初停鳳凰柱、蜀琴欲奏鴛鴦絃。此曲有意無人傳、願隨春風寄燕然。憶君迢迢隔青天、昔時橫波目、今作流淚泉。不信妾腸斷、歸來看取明鏡前。

長相思 郭茂倩樂府古詩曰、上言長相思。李陵詩、各言長相思。蘇武詩、死當長相思。長者、久遠之詞。言行人久戍、寄書以遺所思也。古詩又曰、文綵雙鴛鴦、裁爲合歡被。着以長相思、緣以結不解。謂被中着綿、以致相思緜緜之意、故曰長相思也。又有千里意、與此相類。按、長相思、六朝始以名篇。如陳後主、長相思、久相憶。徐陵、長相思、望歸難。江總、長相思、久離別諸作、並以長相思發端。太白此篇、正擬其格。 絡緯 吳均詩、絡緯井邊啼。古今注、莎雞、一名促織、一名絡緯、一名蟋蟀。促織、謂其鳴聲如急織。絡緯、謂其鳴聲如紡績也。按、今之所謂絡緯、似蚱蜢而大、翅作聲、絕類紡績。秋夜、露涼風冷、鳴尤淒緊。俗謂之紡績娘、非蟋蟀也。或古今注稱謂不同歟。 金井闌 西征記、太極殿上有金井闌。按、金井闌者、井上闌干也。古樂府多有玉牀金井之詞、蓋言其木石美麗、價值金玉云耳。 如花 神女賦、燁乎如花、溫乎如玉。 雲端 枚乘詩、美人在雲端、天路隔無期。 青冥 楚辭、據青冥而攄虹兮。 天長地遠 陳後主、孫瑒銘、天長路遠、地久雲多。 心肝 歐陽建詩、痛哭摧心肝。 趙瑟鳳凰柱 楊惲書、婦趙女也。雅善鼓瑟。吳均詩、趙瑟鳳凰柱、吳醥金罍尊。按、本集注、鳳凰柱、刻柱爲鳳凰形。蜀琴鴛鴦絃鮑照詩、蜀琴抽白雪。按、本集注、司馬相如、蜀郡人、善鼓琴。鴛鴦絃、以雄雌也。

燕然後漢書、燕然山、去塞三千里。卽燕支山。竇憲傳、爲車騎將軍。溫犢須日逐等八十一部、率衆降、憲軍遂登燕然山。刻石勒功、紀漢威德。令班固作銘。

橫波目王筠詩、愁牽翠羽眉、淚滿橫波目。傅毅舞賦、目流睇而橫波。注、言目斜視如水之橫流也。

行路難

金樽清酒斗十千、玉盤珍羞直萬錢。停杯投筯不能食、拔劍四顧心茫然。擧念不忘君側。

欲渡黃河冰塞川、將登太行雪滿山。閑來垂釣坐溪上、忽復乘舟夢日邊。

行路難、行路難。多岐路、今安在。長風破浪會有時、直挂雲帆濟滄海。

行路難樂府古題要解、行路難、備言世路艱難、及離別傷悲之意。多以君不見爲首。斗十千曹植詩、美酒斗十千。萬錢北史、韓晉明好酒縱誕、招飲賓客、一席之費、動至萬錢、猶恨儉率。不能食鮑照詩、對案不能食、拔劍擊柱長歎息。茫然古詩、四顧何茫然。冰川雪山鮑照舞鶴賦、冰塞長川、雪滿羣山。太行河南志、太行山在懷慶府城北。由武輝縣林縣至磁州界、緜亘數十里。其山西自濟源東北接河內、其間峯谷巖洞、景物萬狀。雖各因地立名、其實太行一山也。爲中州巨鎭。夢日按、王琦註、宋書、伊摯將應湯命、夢乘船過日月之傍。多岐路列子、楊子之鄰人亡羊、旣率其黨、又請楊子之豎追之。楊子曰、亡一羊何追者之衆。鄰人曰、多岐路。長風破浪晉書、宗愨少時、叔父炳問其志。愨曰、願乘長風破萬里浪。雲帆馬融廣成頌、張雲帆、施蜺幬。釋名、隨風張幔曰帆。

將進酒

君不見黃河之水天上來、奔流到海不復回。君不見高堂明鏡悲白髮、朝如青絲暮成雪。人生得意須盡歡、此句一篇之主。莫使金樽空對月。天生我材必有用、千金散盡還復來。烹羊宰牛且爲樂、會須一飲三百杯。岑夫子、丹丘生、將進酒、杯莫停。與君歌一曲、請君爲我傾耳聽。鐘鼓饌玉何足貴、但願長醉不願醒。古來聖賢皆寂寞、唯有飲者留其名。陳王昔時宴平樂、斗酒十千恣歡謔。主人何爲言少錢、徑須沽取對君酌。五花馬、千金裘、呼兒將出換美酒。與爾同銷萬古愁。

將進酒 宋書、漢鼓吹鐃歌十八曲、有將進酒曲。樂府詩集、將進酒古詞云、將進酒、乘大白。大略以飲酒放歌爲言。宋何承天將進酒篇曰、將進酒、慶三朝。備繁禮、薦佳肴。則言朝會進酒、且以濡首荒志爲戒。若梁昭明太子云、洛陽輕薄子、但敍遊樂飲酒而已。 烹羊宰牛 曹植詩、中廚辦豐膳、烹羊宰肥牛。

三百杯 世說注、鄭玄別傳曰、袁紹辟玄、及去、餞之城東、欲玄必醉。會者三百餘人、皆離席奉觴、自旦及暮、度玄飲三百餘杯、而溫克之容、終日無怠。

岑夫子丹丘生 按、岑夫子、卽太白集中所稱岑徵君是。丹丘生、亦集中所稱元丹丘是。皆太白好友也。 一曲 鮑照詩、爲君歌一曲。 傾耳聽 禮記、傾耳聽之、不可得而聞也。 饌玉 論語注、饌、飲食也。左思吳都賦、矜其晏居、則珠服玉饌。注、玉饌、言珍美可比於玉也。 陳王宴平樂曹植名都篇、歸來宴平樂、美酒斗十千。注、平樂、觀名。按、曹植以太和六年封爲陳王。五花馬千金裘者按、五花馬謂馬之毛色作五花文也。又按、張萱畫虢國出行圖中、有三花馬。三花者、剪馬鬣爲三瓣。白居易詩、鳳箋裁五色、馬鬣剪三花。乃知所謂五花者、蓋是剪馬鬣爲五瓣耳。史記、孟嘗君有一狐白裘、直千金、天下無雙。

杜甫

兵車行

此詩自首至末、皆言西北戍之苦、

車轔轔、馬蕭蕭、行人弓箭各在腰。耶娘妻子走相送、塵埃不見咸陽橋。牽衣頓足攔道哭、哭聲直上干雲霄。道旁過者問行人、行人但云點行頻。或以爲征南詔發者、非也。或從十五北防河、便至四十西營田。去時里正與裹頭、歸來頭白還戍邊。邊庭流血成海水、武皇開邊意未已。君不聞漢家山東二百州、千村萬落生荊杞。縱有健婦把鋤犂、禾生隴畝無東西。況復秦兵耐苦戰、被驅不異犬與雞。長者雖有問、役夫敢申恨。且如今年冬、未休關西卒。縣官急索租、租稅從何出。信知生男惡、反是生女好。生女猶得嫁比鄰、生男埋沒隨百草。君不見、青海頭、古來白骨無人收、新鬼煩冤舊鬼哭、天陰雨溼聲啾啾。

兵車周禮、有兵車之會。按、杜詩舊注、謂爲明皇用兵吐蕃、民苦行役而作也。車轔轔馬蕭蕭詩秦風、有車轔轔。又、蕭蕭馬鳴、悠悠旆旌。

耶孃木蘭詩、不聞耶孃喚女聲、但聞黃河之水鳴濺濺。塵埃按、錢箋、塵埃不見、言出師之盛。咸陽橋一統志、便橋、唐時名咸陽橋。元和郡縣志、便橋在咸陽縣西南十里。長安志、中渭橋在咸陽東南二十里。本名横橋。貫渭水上。牽衣魏文帝詩、妻子牽衣袂。古樂府、兒女牽衣啼。頓足史記、溫舒頓足而歎。干雲霄孔稚圭文、干雲霄而直上。點行按、本集注、點行者、以丁籍點照上下、更換差役。防河舊唐書、開元十五年十二月、制、以吐蕃爲邊害、令隴右道及諸軍團兵五萬六千人、河西及諸軍團兵四萬人、又徵關中兵萬人集臨洮、朔方兵萬人集會州、防秋、至冬初、無寇而罷。按、是時吐蕃侵擾河右、故曰防河也。營田唐書食貨志、開軍府以捍要衝、因隙地以制營田。有警則以軍若夫千人助役。按、杜臆、營田、乃戍卒備吐蕃者。里正裹頭海錄碎事、唐制、凡百戶爲一里、里置正一人。二儀實錄、古以皂羅三尺裹頭、曰頭巾。按、鮑氏云、時老幼俱戰亡、又括鄉里之少小者、故里正爲之裹頭擐甲也。流血史記、流血成川。武皇漢書、武帝開置邊郡。按、唐人詩稱明皇多云武皇。王昌齡、白馬金鞍從武皇。韋應物、少事武皇帝。公亦云、武帝旌旗在眼中也。山東二百州趙傁曰、山東者、太行山之東。古之晉地、今之河北。唐都長安、故以河北爲山東。元好問曰、古之山東、今河朔燕趙魏是也。十道四蕃志、關以東七道、凡二百一十七州。村落世說、陸士衡入洛、次河南偃師逆旅。嫗曰、此東數十里無村落。荊杞阮籍詩、堂上生荊杞。健婦古樂府、健婦持門戶、亦勝一丈夫。鋤犂王粲詩、相隨把鋤犂。長者禮記、長者問、不辭讓而對、非禮也。役夫左傳、呼役夫。關西通鑑、天寶九載冬十二月、關西遊奕使王難得擊吐蕃、克五城、拔樹敦城。朱注、關西、卽隴外也。縣官史記索隱、謂國爲縣官者、畿內縣。卽國都。王者官天下、故曰官也。漢書注、縣官、謂天子、不敢指斥、故謂之縣官。　租稅 嚴助傳、租稅之收、足以給乘輿之御。　生男生女 陳琳詩、生男慎莫舉、生女哺用脯。　比鄰 周禮、五家爲比、使之相保。五比爲閭、使之相受。又按、朱注、比鄰、即近鄰也。　埋沒 庾信哀江南賦、身名埋沒。　百草 江淹詩、零落被百草。　青海 舊唐書、吐谷渾有青海、周回八九百里。高宗龍朔三年、爲吐蕃所併。儀鳳中、李敬玄與吐蕃戰、敗于青海。開元中、王君㚟、張景順、張忠亮、崔希逸、皇甫維明、王忠嗣、先後破吐蕃、皆在青海西。天寶中、哥舒翰築神威軍於青海上、又築城龍駒島、吐蕃始不敢近青海。　白骨 梁橫吹曲、尸喪狹谷中、白骨無人收。　新鬼 左傳、新鬼大、故鬼小。　煩冤 鮑照詩、煩冤荒隴側。　陰雨 後漢書、陳寵爲太守、洛陽城每陰雨常有哭聲。　啾啾 漢樂府、鳴聲何啾啾。

麗人行

三月三日天氣新、長安水邊多麗人。態濃意遠淑且真、神韻。肌理細膩骨肉勻。繡羅衣裳照暮春、粧飾。蹙金孔雀銀麒麟。頭上何所有、翠微㔩葉垂鬢脣。背後何所見、珠壓腰衱穩稱身。以上泛詠麗人、此纔入秦虢。就中雲幕椒房親、賜名大國虢與秦。紫駝之峯出翠釜、水精之盤行素鱗。四句寫其奢侈。犀筯厭飫久未下、鸞刀縷切空紛綸。黃門飛鞚不動塵、御廚絡繹送八珍。四句寫其寵眷。簫鼓哀吟感鬼神、賓從雜遝實要津。以下纔入國忠。後來鞍馬何逡巡、當軒下馬入錦茵。楊花雪落覆白蘋、青鳥飛去銜紅巾。

炙手可熱勢絶倫、愼莫近前丞相嗔。

麗人行 樂府廣題曰、劉向別錄云、昔有麗人、善雅歌、後因以名曲。崔國輔麗人曲、紅顏稱絶代、欲並真無侶。獨有鏡中人、由來自相許。舊唐書、玄宗每年十月

幸華清宮、國忠姊妹五家扈從。每家爲一隊、著一色衣、五家合隊照映、如百花之煥發。遺鈿墜舄、瑟瑟珠翠、燦爛芳馥于路。而國忠私於虢國、不避雄狐之刺。每入朝、

或聯鑣方駕、不施帷幔。每三朝慶賀、五鼓待漏、靚粧盈巷、蠟炬如晝。按、錢箋注引、十月幸華清事、度上巳修禊、亦必爾也。 三月三日 風俗通、

按、周禮、女巫掌歲時以祓除疾病。禊者、潔也。故於水上盥濯之也。巳者、祉也。邪疾巳去、祈介祉也。周禮注、如今之三月三日、往水上之類是也。晉書、魏以後、

但用三日、不復用巳。荊楚歲時記、三月三日、士民並出臨清渚、爲流杯曲水之飲。 意遠 庾信啓、飄飄意遠。 淑真 王粲神女賦、何産氣之淑真。

理膩骨肉 楚辭、靡顏膩理。注、膩、滑也。又、招魂、豐肉微骨。 羅衣裳 古詩、被服羅衣裳。 蹙金 按、趙注、蹙金寶事、唐人

常語。故杜牧自謂其詩蹙金結繡而無痕迹。 孔雀麒麟 按、周注、孔雀麒麟、皆衣上所繡物也。 翠微㔩葉 廣韻、㔩綵、婦人髻飾花也。舊

注、翠微㔩葉、言翡翠微布於㔩綵之葉。 鬢脣 按、仇注、鬢脣、鬢邊也。 珠衱 爾雅、衱、謂之裾。郭注、衣、後裾也。趙注、謂之腰衱、則裾腰耳。以

珠綴之、故言珠壓腰衱。按、舊注、腰衱、卽今之裙帶、綴珠其上、壓而下垂也。 就中 庾信詩、就中不言醉。 雲幕 西京雜記、成帝設雲幄雲帳雲幕於甘泉紫

殿、世謂之三雲殿。 大國 舊唐書、太真有姊三人、皆有才貌、並封國夫人。長曰大姨、封韓國。三姨封虢國。八姨封秦國。同日拜命。通鑑、適崔者爲韓、適

裴者爲虢、適柳者爲秦。 駝峯 漢書、大月氏、本西域國。出一封橐駝。注、脊上有一封高也、如土封然。今俗呼爲幫。按、舊注、封、亦作峯。駝峯味美。西

陽雜俎、衣冠家名食、有將軍曲良翰作駝峯炙。 翠釜 王績遊北山賦、褭翠釜而出金精。 水精盤 三輔黃圖、董偃以水精爲盤。 犀筯

西陽雜俎、明皇恩寵祿山、所賜有金平脫、犀頭筯。**厭飫**楚辭、時厭飫而不用兮。**筯未下**晉書、何曾日食萬錢、猶曰無下筯處。**鸞刀縷切**詩、執其鸞刀。西征賦、饔人縷切、鸞刀若飛。**黃門**漢書注、禁中黃門、謂閹人。居禁中、在黃門之內給事者。明皇雜錄、虢國夫人出入禁中、常乘紫驄、使小黃門爲御、紫驄之駿健、黃門之端秀、皆冠絕一時。**飛鞚**鮑照詩、飛鞚越平陸。通俗文、制馬口曰鞚。**送八珍**新唐書、帝所得奇珍及貢獻、分賜之。使者相銜於道、五家如一。周禮、珍用八物。注、珍謂淳熬、淳母、炮豚、炮牂、擣珍、漬熬、肝、膋也。梁武帝詩、雕案出八珍。**賓從**魏文帝詩、賓從無聲。**雜遝**漢書劉向傳、及至周文開基、西郊雜遝、衆賢罔不肅和。注、雜遝、聚積之貌。**要津**古詩、先據要路津。**當軒**王融詩、當軒卷羅縠。

錦茵仇注、錦茵、謂地鋪錦褥。**楊花**梁書、楊華、少有勇力、容貌雄偉。魏胡太后逼通之。華懼及禍、乃率其部曲降梁。胡太后思之、爲作楊白花歌、使宮人連臂蹋足歌之、聲甚悽惋。其歌曰、楊春二三月、楊柳齊作花。春風一夜入閨闥、楊花飄蕩落南家。含情出戶脚無力、拾得楊花淚沾臆。春去秋來雙燕子、願銜楊花入窠裏。按、此楊花亦寓意于楊氏也。楊花入水化爲萍。爾雅翼、萍、其大者曰蘋。五月有花、白色。又按、本注、蘋根生水底、不若小浮萍無根漂浮。楊國忠實張易之之子、冒楊姓、與虢國通、是以無根之楊花、落而覆有根之白蘋也。**青鳥**山海經、三危之山、有青鳥居之。注、青鳥、主爲西王母取食者。漢武故事、王母有二青鳥如烏、夾侍王母。沈約詩、銜書必青鳥。**紅巾**梁元帝詩、柳邊通粉色、葉裏映紅巾。趙注、紅巾、婦人之飾。黃注、巾、蓋樹間所挂之綵。**炙手可熱**兩京新記、安樂公主、上之季妹也。附會韋氏、熱可炙手、道路懼焉。按、炙手可熱、蓋唐時長安語如此。唐語林、語曰、鄭、楊、段、薛、炙手可熱。**丞相**通鑑、天寶十一載十一月、以楊國忠爲右相兼文部尚書。

哀江頭

少陵野老吞聲哭、三字通首眼目。春日潛行曲江曲。江頭宮殿鎖千門、細柳新蒲爲誰綠。
憶昔霓旌下南苑、苑中萬物生顏色。昭陽殿裏第一人、同輦隨君侍君側。
輦前才人帶弓箭、白馬嚼齧黃金勒。翻身向天仰射雲、一箭正墜雙飛翼。
以下數語、夫妻、父子、死生、離別、觸物引緒、字字俱有哭聲。明眸皓齒今何在、血汚遊魂歸不得。清渭東流劍閣深、去住彼此無消息。
人生有情淚沾臆、江水江花豈終極。黃昏胡騎塵滿城、欲往城南望城北。

哀江頭 按、詩意本哀貴妃、不敢斥言、故借江頭行幸處、標爲題目耳。少陵 雍錄、宣帝陵在杜陵縣、許后葬杜陵南園、謂之少陵。杜甫家焉、自稱杜陵老、亦曰少陵也。在長安縣南四十里。吞聲 江淹恨賦、自古皆有死、莫不飲恨而吞聲。曲江 寰宇記、曲江、漢武帝所造、名爲宜春苑。其水曲折、有似廣陵之江、故名。劇談錄、曲江在秦爲宜春苑、在漢爲樂遊園。開元疏鑿、遂爲勝境。其南有紫雲樓、芙蓉苑。其西有杏園、慈恩寺。江頭菰蒲葱翠、柳陰四合、碧波紅葉、依映可愛。潛行 韓非子、張孟談曰、臣請潛行而出。霓旌 西都賦、虹旃霓旌。高唐賦、霓爲旌、翠爲蓋。南苑 雍錄、曲江、都城東南、其南即芙蓉苑、故名南苑。第一人、謂楊貴妃也。昭陽 漢書、飛燕立爲皇后、寵少衰。女弟絕色、幸爲昭儀。居昭陽殿。同輦 漢書、成帝遊於後庭、欲與班婕妤同輦。才人 舊唐書、內官才人七人。按、唐制、巡幸、宮人扈從者、騎而挾弓矢。見王才人傳。黃金勒 何遜詩、白馬黃金勒。明皇雜錄、上幸華清宮、貴妃姊妹各購名馬、以黃金爲銜勒。明眸皓齒 洛神賦、丹脣外朗、皓齒內鮮。明眸善睞、靨輔承權。血汚 吳均詩、血汚秦王衣。魂歸不得 國史補、玄宗幸蜀、至馬嵬驛、縊貴妃於佛堂梨樹之間。太真外傳、妃死、瘞於西郭之外一里許、道北坎下、時年三十八歲。清渭劍閣按、杜詩注、清渭、貴妃縊處。劍閣、明皇入蜀所由。按、錢箋、帝由便橋渡渭、自咸陽望馬嵬而西、由武功入大散關、河池、劍閣、以達成都。舊注、渭水在京城、劍閣在蜀。時明皇西幸、尚留蜀也。**去住**蔡文姬胡笳曲、去住兩情兮難具陳。**望城北**兩京新記、曲江最高、四望寬敞。靈武行在、在長安之北。往城南潛行曲江者、欲望城北、冀王師之至耳。悲陳陶篇、都人回首北面啼、日夜更望官軍至二語即此意。望字一本作忘。若作忘字、有何意義。

哀王孫

長安城頭頭白烏、夜飛延秋門上呼。又向人家啄大屋、屋底達官走避胡。
金鞭斷折九馬死、骨肉不待同馳驅。腰下寶玦青珊瑚、可憐王孫泣路隅。（先從寶玦看出、次從隆準看定、）
問之不肯道姓名、但道困苦乞爲奴。已經百日竄荊棘、身上無有完肌膚。（忠愛之心、倉卒之意、丁寧周至、如聞其聲。）
高帝子孫盡隆準、龍種自與常人殊。豺狼在邑龍在野、王孫善保千金軀。
不敢長語臨交衢、且爲王孫立斯須。昨夜東風吹血腥、東來橐駝滿舊都。
朔方健兒好身手、昔何勇銳今何愚。竊聞天子已傳位、聖德北服南單于。
花門剺面請雪恥、愼勿出口他人狙。哀哉王孫愼勿疏、五陵佳氣無時無。

哀王孫按、仇注、肅宗卽位、改元至德、在七月甲子。是月丁卯、祿山殺霍國長公主及王妃駙馬等八十人。己巳、又殺王孫及郡縣主二十餘人。此詩所以作也。**頭白烏**三國典略、侯景篡位、令飾朱雀門。其日、有白頭烏萬計、集於門。童謠曰、白頭烏、拂朱雀、還與吳。此蓋以侯景比祿山也。**延秋門**

舊唐書、十五載六月九日、潼關不守。十二日凌晨、上自延秋門出、微雨沾溼。國忠與貴妃及親屬、擁上出。親王、妃、主、皇孫以下、多從之不及。平明渡渭、即令斷便橋。辰時至咸陽望賢驛置頓。通鑑、上出延秋門、妃、主、皇孫之在外者、皆委之而去。是日、百官猶有入朝者、至宮門猶聞漏聲、三衞立仗儼然。門既啓、則宮人亂出、中外擾攘、不知上所之。王公士民四出、逃竄山谷。雍錄、玄宗幸蜀、自苑西門出、在唐爲苑之延秋門。既出、即由便橋渡渭、自咸陽望馬嵬而西。長安志、苑中宮亭凡二十四所。西面二門、南曰延秋門、北曰玄武門。

大屋 史記、高門大屋尊寵之。

達官 禮記、公之喪、諸達官之長杖。注、受命於君者名達於上、謂之達官。

金鞭 沈炯詩、晉后鑄金鞭。

九馬 西京雜記、文帝自代來、有良馬九匹、日浮雲、赤電、絕羣、逸驃、紫燕騮、綠螭驄、龍子、驎駒、絕塵、號爲九逸。

腰下 漢書陳平傳、船人疑其亡將、腰下當有寶器金玉。

珊瑚玦 西京雜記、飛燕女弟遺飛燕珊瑚玦、瑪瑙彄。

乞爲奴 晉紀論、劉淵王彌之亂、將相王侯、交頭受戮。乞爲奴僕、而猶不獲。

肌膚 史記、其次毀肌膚、斷支體、受辱。

隆準 漢書、高帝隆準而龍顏。

龍種 隋書、房陵王勇、生子儼雲、定與女所生也。文帝曰、乃皇太孫、何生不得地。定與奏曰、天上龍種、所以因雲而出。

豺狼 後漢張綱傳、豺狼當道、安問狐狸。

龍野 易、龍戰於野。光武紀、四七之際龍鬥野。

千金軀 陶潛詩、客養千金軀。

郊衢 嵇康詩、楊氏歎郊衢。

斯須 李陵詩、且復立斯須。

血腥 山海經、禹殺相柳、其血腥。

橐駝 唐書史思明傳、祿山陷兩京、以駱駝運御府珍寶於范陽、不知紀極。

舊都 按、肅宗時在靈武、故號長安爲舊都。

朔方健兒 按、朱注、時哥舒翰將河隴朔方兵、及蕃兵共二十萬、拒賊、敗績於潼關。唐書、天寶十四載、京師召募十萬、號天武健兒。

身手 顏氏家訓、頃世亂離、衣冠之主、雖無身手。或聚徒衆、違棄素業、僥倖成功。

勇銳 六韜、將不勇則三軍不銳。

傳位 天寶十五載七月、肅宗即位於靈武。

南單于 按、盧注、明皇臨行、諭太子曰、西北諸胡、我撫之素厚、汝必得其用。按、此所謂聖德北服單于也。後漢書、匈奴薁鞬日逐王、比自立爲南單于。按、此云南單于者、指回紇也。按、舊注、肅宗卽位、遣使與回紇和親、二載、其首領入朝。**花門**唐志、甘州有花門山堡。東北千里、至回紇衙帳。**剺面**後漢書耿秉傳、耿秉卒、匈奴擧國號哭、或至梨面流血者。按、梨、剺、古字通用。說文、剺、劃也。劃也。又按、剺面、北俗有哀憤事則然。**出口**史記、顧君愼弗出於口。**狙**史記留侯世家、良與客狙擊秦皇帝博浪沙中。注、狙伺候也。亦云狙、伏伺也。狙之伺物必伏而候之。按、集韻、韻會、狙、七慮切、並音覰。玃屬。按、廣韻、狙、千余反、音疽。猿屬。又按、音詛。亦猿類。**五陵**按、舊注、五陵、漢五陵也。今依仇注作唐五陵近是。唐紀、高祖葬獻陵、太宗葬昭陵、高宗葬乾陵、中宗葬定陵、睿宗葬橋陵、是爲五陵。**佳氣**光武紀、蘇伯阿爲王莽使、至南陽、遙望春陵郭、唶曰、氣佳哉、鬱鬱葱葱然。

唐詩三百首補註卷五

五言律詩

按、律詩權輿於梁陳、諧協于初唐、精切於沈宋。偶麗精切、故曰律詩。

唐玄宗

姓李、諱隆基、睿宗子。靖內難卽位。開元中、任姚崇、宋璟、韓休、張九齡諸人、治稱太平。天寶後、任李林甫、楊國忠、內寵楊貴妃、外寵邊將、治亂較然矣。安祿山反、幸蜀、太子卽位靈武、明年還京、居西內、崩。唐祚自此不復再振。

經魯祭孔子而歎之

夫子何爲者、孔子。棲棲一代中。地猶鄹氏邑、經魯。宅卽魯王宮。歎鳳嗟身否、歎之。傷麟怨道窮。今看兩楹奠、當與夢時同。

經魯祭孔子 新唐書、開元十三年十一月庚辰、封於泰山。丙申幸孔子宅。遣使以太牢祭其墓。**棲棲** 論語、微生畝謂孔子曰、丘何爲是棲棲者與、無乃爲佞乎。注、棲棲、依依也、如鳥之棲木而不去、指聖人行跡說。**鄹邑** 論語、孰謂鄹人之子知禮乎。注、鄹、魯邑名。孔子父叔梁紇、嘗爲其邑大夫。**魯王宮** 孔安國書序、魯恭王壞孔子舊宅以廣其居。升堂、聞絲竹之音、乃不壞宅。**歎鳳** 論語、子曰、鳳鳥不至、河不出圖、吾已矣夫。**傷麟** 孔叢子、叔孫氏之車子鉏商、樵於野而獲麟焉、衆莫之識、以爲不詳。夫子往觀焉、泣曰、麟也。麟出而死、吾道窮矣。乃歌曰、唐虞世兮麟鳳遊、今非其時兮來何求。麟兮麟兮我心憂。**兩楹奠** 禮記、孔子曰、疇昔之夜、夢坐奠于兩楹之間。

張九齡

望月懷遠

海上生明月、天涯共此時。(遠。) 情人怨遙夜、(望。) 竟夕起相思。滅燭憐光滿、(二句望月。) 披衣覺露滋。不堪盈手贈、(遠。) 還寢夢佳期。

滅燭梁簡文帝夜夜曲、愁人夜獨長、滅燭臥蘭房。祇恐多情月、旋來照妾床。謝靈運怨曉月賦、臥洞房兮當何悅、滅華燭兮弄素月。盈手陸機詩、照之有餘輝、攬之不盈手。

王勃　字子安、絳州龍門人。善屬文。麟德初、對策、授朝散郎、年未及冠也。沛王召署府修撰。時諸王鬥雞、勃戲爲檄周王雞。周王、卽中宗也。高宗怒其搆釁、斥免爲虢州參軍、坐擅殺當誅、除名。父福時、因勃坐謫交趾令。勃往省、渡南海、溺水、悸而卒。勃與楊炯、盧照鄰、駱賓王齊名、世稱王楊盧駱爲四傑。炯嘗曰、吾愧在盧前、恥居王後。知文者以爲然。初、裴行儉在吏部見蘇味道、王勮、曰、二君皆後掌銓衡。李敬玄盛稱王勃、楊炯、盧照鄰、駱賓王。行儉曰、勃等雖有才、然浮躁衒露、豈享爵祿者。炯頗沈默、可至令長、餘皆不得其死。後俱如行儉言。

杜少府之任蜀州

城闕輔三秦、風煙望五津。與君離別意、同是宦遊人。海內存知己、天(贈別不作悲酸語、魄力自異。)涯若比鄰。無爲在歧路、兒女共霑巾。

蜀州輿地志、崇慶州唐名蜀州。按、舊本俱作杜少府之蜀川、今從唐詩別裁注。三秦史記、項籍滅秦後、分其地爲三、名曰雍王、塞王、翟王、號曰三秦。五津華陽國志、蜀大江自湔堰下至犍爲有五津、一曰白華津、二曰萬里津、三曰江首津、四曰涉頭津、五曰江南津。

駱賓王

義烏人、七歲能文。武后時、數上疏言事、除臨海丞、鞅鞅不得志、棄官去。徐敬業起兵、署爲府屬。傳檄天下、斥武后罪狀、文出賓王手。后讀之、但嬉笑。至一抔之土未乾、六尺之孤安在、矍然曰、誰爲此。或以賓王對。后曰、宰相安得失此人。敬業敗、賓王亡命、不知所之。中宗詔求其文、得數百篇。

在獄咏蟬 并序

余禁所禁垣西、是法廳事也、有古槐數株焉。雖生意可知、同殷仲文之古樹、而聽訟斯在、卽周召伯之甘棠。每至夕照低陰、秋蟬疎引、發聲幽息、有切嘗聞。豈人心異於曩時、將蟲響悲於前聽。嗟乎、聲以動容、德以象賢。故潔其身也、稟君子達人之高行、蛻其皮也、有仙都羽化之靈姿。候時而來、順陰陽之數、應節爲變、審藏用之機。有目斯開、不以道昏而昧其視、有翼自薄、不以俗厚而易其真。吟喬樹之微風、韻姿天縱、飮高秋之墜露、清畏人知。僕失路艱虞、遭時徽纆。不哀傷而自怨、未搖落而先衰。聞蟪蛄之流聲、悟平反之已奏、見螳螂之抱影、怯危機之未安。感而綴詩、貽諸知己。庶情沿物應、哀弱羽之飄零、道寄人知、憫餘聲之寂寞。非謂文墨、取代幽憂云爾。

西陸蟬聲唱、南冠客思深。（在獄。）不堪玄鬢影、（承首句。）來對白頭吟。（承次句。）露重飛難進、（自喩。）風多響易沉。無人信高潔、誰爲表予心。

在獄　按、舊注、賓王在獄事、史失傳、無考。按、賦鈔箋略、賓王小傳云、賓王七歲能賦詩。初爲道王府屬、調長安主簿。上疏言事、下獄、貶臨海丞。又按、駱賓王螢火賦注云、此賦當在言事下獄時作。　西陸　司馬彪續漢書、日行西陸謂之秋。　南冠　左傳、晉侯見鍾儀問之曰、南冠而縶者誰也。有司對曰、鄭人所獻楚囚也。　玄鬢　煙花記、魏宮人莫瓊樹、製蟬鬢、飄渺如蟬翼。　高潔　職林、漢侍中、冠加金璫、附蟬、取其居高食潔。漢、馬援傳、行能高潔。

杜審言

字必簡、襄陽人、杜預之後。舉進士、爲隰城尉。武后時、累擢學士。按、杜甫世系表略、審言、杜預十一代孫。官修文館學士、尚書膳部員外郎。唐書文藝傳、杜審言、字必簡、襄州襄陽人。恃才高、以傲世見疾。嘗語人曰、吾文章當得屈宋作衙官、王羲之北面。與李嶠、崔融、蘇味道爲文章四友。生子閑、閑生甫。唐詩紀事、審言初貶吉州司戸、與同僚忤。司馬周季重、司戸郭若訥誣以罪、繫獄。審言子幷年十三、因季重酒酣、懷刃刺之。季重臨死曰、吾不知審言有孝子。若訥誤我、焉避害。審言因此免官。還東都、則天召、將用之。問曰、卿喜否。審言舞蹈謝恩、因作懽喜詩、授著作佐郎。神龍初、坐通張易之、流峯州。入爲修文館學士、卒。將死、謂宋之問、武平一曰、吾在、久壓公等。今且死、固大慰、但恨不見替人云。審言卒、李嶠以下請加命、武平一爲表、乃贈著作郎。

和晉陵陸丞早春遊望

獨有宦遊人、偏驚物候新。雲霞出海曙、遠。梅柳渡江春。近。淑氣催黃鳥、晴光轉綠蘋。忽聞歌古調、歸思欲霑巾。

晉陵一統志、今江南常州府。唐天寶間爲晉陵郡。丞通典、隋開皇中、改郡贊治爲丞。

沈佺期 字雲卿、內黃人。第進士。長安中、預修三教珠英、轉考功員外郎。坐張易之黨、流嶺表。神龍中、授起居郎。後歷太子詹事。按、佺期與宋之問作詩、音韵相和、約句準篇、號沈宋體、鳴於時。唐詩紀事、佺期字雲卿、相州人。除給事中、考功郎。受贓、劾、未究。會張易之敗、遂長流驩州。稍遷台州錄事參軍。入、許召見、拜起居郎、兼修文直學士。侍宴、爲弄辭悅帝、賜牙緋、尋爲太子詹事。開元初卒。

雜詩

江淹雜體詩序、關西鄴下、既已罕同、河外江南、頗爲異法。今作三十首、效其文體。按、漢孔融有雜詩一首。又按、皮日休雜體詩序、由古至律、由律至雜、詩之道盡乎此也。

聞道黃龍戍、頻年不解兵。可憐閨裏月、長在漢家營。能在漢營者、惟閨月耳。少婦今春意、承閨月。良人昨夜情。承漢營。誰能將旗鼓、一爲取龍城。

黃龍戍宋書、馮跋治黃龍城、故謂之黃龍戍。龍城漢書匈奴傳、五月大會龍城、祭其先天地鬼神。齊地記、平昌城有井、與荊水通。有神龍出入焉。故名龍城。

宋之問字延清、汾州人。偉儀貌、雄於辯。甫冠、武后召與楊炯分直內教、預修三教珠英。坐附張易之、左遷瀧州、未幾、逃還、匿張仲之家。旋發仲之與王同皎謀殺武三思事、得復官。中宗增置修文館學士、之問首膺其選。睿宗立、以易之三思黨徙欽州、賜死。唐詩紀事、之問與沈佺期、劉元濟媚附易之。及敗、貶瀧州參軍事、逃歸、復附三思。景龍中、詔事太平公主、安樂公主權盛、復往諂結、太平深嫉之、中宗將用爲中書舍人、太平發其贓、下遷越州長史、賦詩流傳京師。睿宗立、以獪險盈惡、詔流欽州、賜死。

題大庾嶺北驛

四句一氣旋折、神味無窮。

陽月南飛雁、傳聞至此迴。我行殊未已、何日復歸來。江靜潮初落、林昏瘴不開。明朝望鄉處、應見隴頭梅。題驛。

大庾嶺舊唐書、東嶠縣卽大庾嶺、屬韶州。一名梅嶺。白帖、大庾嶺上梅、南枝落、北枝開。聞見近錄、大庾嶺險絕通渠、流泉涓涓不絕。紅白梅夾道。仰視青天、如一線然。陽月爾雅、十月爲陽。雁迴南方輿勝覽、回雁峯在衡陽之南。雁至此不過、遇春而回。

王灣洛陽人。登先天進士第。開元初、爲滎陽主簿。馬懷愼欲校正羣集、分部撰次。灣在選中。後爲洛陽尉。

次北固山下

客路青山下（陸。）、行舟綠水前（水。）。潮平兩岸闊（陸。）、風正一帆懸（水。）。海日生殘夜、江春入舊年。鄉書何處達、歸雁洛陽邊。

北固山 一統志、北固山在鎮江府治北、下臨大江。 雁書 蘇武傳、匈奴與漢和親、漢求武等、匈奴詭言武死。後漢使至、與匈奴言、天子射上林、得雁足繫帛書、言武等在某澤中。單于視左右而驚、謝漢使曰、武等實在。以始元六年至京師、拜爲典屬國。

常建

破山寺後禪院

清晨入古寺（山寺。）、初日照高林。曲徑通幽處（後禪院。）、禪房花木深。山光悅鳥性（仰看。）、潭影空人心（俯看。）。（上二句見、此二句聞。）萬籟此皆寂、惟聞鐘磬音。

破山寺 一統志、興福寺在虞山、齊郴州刺史捨宅爲寺。唐常建題曲徑通幽處卽此。唐詩解、今常熟縣虞山興福寺。 萬籟 莊子、人籟、地籟、天籟、吹萬不同。

岑參

寄左省杜拾遺

聯步趨丹陛、分曹限紫微。曉隨天仗入、暮惹御香歸。白髮悲花落（自悲。）、青雲羨鳥飛。羨杜。聖朝無闕事、自覺諫書稀。寓規諷意。

左省舊唐書職官志、門下省、龍朔中改爲東臺、故稱左省。又、垂拱初、置左右拾遺二員、掌供奉諷諫、扈從乘輿。杜拾遺新唐書、杜甫奔行在、拜左拾遺。分曹甫爲左拾遺、參爲右補闕、相隔中書省、故云限。見沈歸愚重訂唐詩別裁旁批。紫微初學記、唐改中書省曰紫微省。花木考、紫微花、俗名怕癢花。樹身光滑、高丈餘、花瓣紫皺、蠟附茸萼。四五月始花、至六七月。唐省中亦多植此、取其耐久、爛熳可愛。

李白

贈孟浩然

吾愛孟夫子、風流天下聞。紅顏棄軒冕、少。白首臥松雲。老。醉月頻中聖、酒。迷花不事君。花。高山安可仰、徒此揖清芬。

軒冕莊子、今之所謂得志者、軒冕之謂軒冕也。軒冕在身、物之儻來、寄也。松雲南史、眷戀松雲、輕迷人路。中聖三國志、徐邈爲尚書郎、時科酒禁、而邈私飲、至於沈醉。校事趙達問以曹事、邈曰、中聖人。達白之太祖、太祖盛怒。鮮于輔進曰、平明醉客、謂酒清者爲聖人、濁者爲賢人。邈性修慎、偶醉言耳。清芬陸機文賦、誦先人之清芬。

渡荊門送別

渡遠荊門外、來從楚國遊。山隨平野盡、山盡。江入大荒流。江寬。月下飛天鏡、夜月。雲生結海樓。（曉雲。）仍憐故鄉水、萬里送行舟。（送別。）

荊門　通典、荊門山、後漢岑彭破田戎於此。公孫述又遣將任滿拒吳漢、作浮橋處。在今峽州宜都縣西北五十里。水經云、江水東楚荊門虎牙之間。荊門山在南、上合下開、若門。虎牙山在北、石壁危江間、有白文類牙、故名。荊門、虎牙二山、卽楚之西塞。　山盡　按、肄園居士注、楊齊賢曰、荊門軍有山名荊門、蜀之諸山、至此不復見矣。　天鏡　薛道衡老氏碑頌、響發地鐘、光垂天鏡。　海樓　史記、海旁蜃氣象樓臺。國史補、海上居人、時見飛樓如締構之狀、甚壯麗。

送友人

青山横北郭、（山。）白水遶東城。（水。）此地一爲別、孤蓬萬里征。浮雲遊子意、（飄飄無定、）落日故人情。（依依不捨。）揮手自茲去、蕭蕭班馬鳴。

孤蓬　鮑照蕪城賦、孤蓬自振、驚砂坐飛。　蕭蕭班馬鳴　詩、蕭蕭馬鳴。左傳、有班馬之聲。杜預注、班、別也。按、主客之馬、將分道而蕭蕭長鳴、亦若有離羣之憾。

聽蜀僧濬彈琴

蜀僧抱綠綺、（僧。琴。）西下峨嵋峯。（蜀。）爲我一揮手、如聽萬壑松。（聽。）客心洗流水、餘響入霜鐘。（清。）不覺碧山暮、秋雲暗幾重。（聽畢。）

綠綺　傅玄琴賦序、蔡邕有綠綺琴、天下名器也。　霜鐘　山海經、豐山有鐘九耳、是知霜鳴。郭璞注、霜降則鐘鳴、故言知也。

夜泊牛渚懷古

牛渚西江夜、青天無片雲。登舟望秋月、空憶謝將軍。余亦能高詠、斯人不可聞。明朝挂帆去、楓葉落紛紛。

以謫仙之筆作律、如參神龍於池沼中、雖勺水無波、而屈伸盤拏、出沒變化、自不可遏、須從空靈一氣處求之。

牛渚　一統志、牛渚山在太平府城北二十五里、下有磯曰牛渚、去采石磯僅一里。太平寰宇記、牛渚山在太平州當塗縣北三十五里、突出江中、謂爲牛渚磯。古津渡處也。輿地志、牛渚山、昔有人潛行、云此處通洞庭、旁達無底。見有金牛狀異、乃驚怪而出。牛渚山北謂之采石。按、今對采石渡口、上有謝將軍祠。

謝將軍　晉書、謝尚、字仁祖、官鎮西將軍。袁宏傳、宏曾爲詠史詩、謝尚鎮牛渚、秋夜乘月泛江、會宏在舫中諷詠、遣問焉。答云、是袁臨汝兒郎誦詩。尚即迎升舟、談論申旦。自此、名譽日茂。

杜甫

春望　四句十八層。

國破山河在、城春草木深。感時花濺淚、(見。)恨別鳥驚心。(聞。)烽火連三月、(承感時。)家書抵萬金。(承恨別。)白頭搔更短、渾欲不勝簪。

濺淚　拾遺記、漢獻帝爲李傕所敗、后以淚濺帝衣。

勝簪　鮑照曰、白髮零亂不勝簪。

月夜

今夜鄜州月、閨中只獨看。(獨看月者、憶長安也。小兒女豈解此哉。)遙憐小兒女、未解憶長安。香霧雲鬟溼、清輝玉臂寒。何時倚虛幌、(故月應獨看。)雙照淚痕乾。

鄜州(唐書地理志、鄜州、洛交郡、本上郡、天寶元年更名。杜甫傳、安祿山亂、甫走避三川。肅宗立、自鄜州羸服欲奔行在、爲賊所得、至德二年亡走鳳翔、上謁、拜左拾遺。按、杜詩舊注、天寶十五載、公自鄜州赴行在爲賊所得、時身在長安、家在鄜州。)虛幌(江淹詩、煉藥照虛幌。玉篇、幌、帷幔也。)

春宿左省

花隱掖垣暮、(日暮起。)啾啾棲鳥過。星臨萬戶動、(星出。)月傍九霄多。(月上。)不寢聽金鑰、(中夜。)因(將曉。)風想玉珂。明朝有封事、數問夜如何。

金鑰(黃庭經、玉匙金鑰常完堅。)玉珂(張華詩、文軒樹羽蓋、乘馬鳴玉珂。通俗文、馬勒飾曰珂。唐車服制、五品以上有珂繖九車之制、三品以上珂九子、四品七子、五品五子、六品以下去通幰及珂。按、珂、朝馬飾也、馬行則響、謂之鳴珂。)封事(光武紀、詔百僚俱上封事。漢儀、密奏皂囊封版、故曰封事。唐書、補闕、拾遺、掌供奉諷諫、大事廷諍、小則上封事。)

至德二載甫自京金光門出間道歸鳳翔乾元初從左拾遺移華州掾與親故別因出此門有悲往事

此道昔歸順、西郊胡正繁。至今猶破膽、(今尚如此、當日可知。)應有未招魂。近侍歸京邑、(拾遺。)移(華州掾。申上句移官之故。

官豈至尊。無才日衰老、駐馬望千門。

金光門長安志、唐京師外郭城西面三門、北曰明遠、中曰金光、南曰延平。華州唐書、華州在京師東一百八十里。破膽北魏書、李穆曰、高歡破膽矣。招魂楚辭招魂篇、魂兮歸來、入修門些。移官按、舊注、公上疏救房琯、詔三司推問、以張鎬力救、勅放就列。至次年、復與房琯嚴武俱貶、坐琯黨也。

月夜憶舍弟

錄少陵律詩、止就其綱常倫紀間至性至情流露之語、可以感發而興起者、使學者得其性情之正、庶幾養正之義云。

戍鼓斷人行、秋邊一雁聲。露從今夜白、月是故鄉明。有弟皆分散、無家問死生。寄書長不達、況乃未休兵。

戍鼓劉孝綽、繁昌浦詩、隔山聞戍鼓、傍浦喧棹謳。露白按、仇注、逢白露節。分散按、鶴注、時二弟一在許、一在齊。

天末懷李白

涼風起天末、君子意如何。鴻雁幾時到、雁飛不到。江湖秋水多。魚書難達。文章憎命達、魑魅喜人過。應共冤魂語、投詩贈汨羅。

天末陸機詩、游子渺天末。李白按、舊注、時李白流竄夜郎。魑魅左傳文十八年、投諸四裔、以禦魑魅。注、魑魅、山林異氣所生爲人害者。又注、魑、山神、獸形。魅、怪物。史記、五帝紀注、魑魅、人面獸身、四足、好惑人。按、舊注、喜人之來而得食也。冤魂後漢審配書、冤魂痛於幽冥。冤汨羅。一統志、汨羅、江名、在長沙湘陰縣北十里、源出豫章、流經湘陰分二水、一南流曰汨水、一經古羅城曰羅水、至屈潭復合、故曰汨羅。西流入湘。按、屈原傳、原字平、與楚同姓、仕爲三閭大夫。上官靳尚妒其能、毀之、王流之江南、原乃作離騷經、終不見省、遂赴汨羅而死。漢書賈誼傳、誼既以謫去、意不自得、及渡湘水、爲文以弔屈原。屈原、楚賢臣也、被讒放逐、作離騷賦、其終篇曰、已矣、國亡人莫我知也。遂自投江而死。誼追傷之、因以自諭。

奉濟驛重送嚴公四韻

遠送從此別、青山空復情。幾時盃重把、後會無期。昨夜月同行。舊歡如昨。列郡謳歌惜、民情。三朝出入榮。主眷。江村獨歸處、寂寞養殘生。

奉濟驛按、杜詩本注、奉濟驛去緜州二十里。重送按、杜詩本注、先有奉送入朝及送嚴到緜州二詩、見卷五之一。列郡按、本注謂西川諸郡。

別房太尉墓 閬州

他鄉復行役、駐馬別孤墳。近淚無乾土、低頭。低空有斷雲。抬頭。對碁陪謝傅、生前友誼。把劍覓徐君。死後交情。唯見林花落、鶯啼送客聞。

房太尉舊唐書房琯傳、琯以乾元元年貶邠州刺史、上元元年爲漢州刺史、寶應二年拜刑部尚書、在路遇疾、廣應元年八月卒於閬州。對碁晉書謝安傳、苻堅率衆百萬次淮肥、加安征討大都督。命駕出山墅、親朋畢集、與幼度圍碁、賭別墅、遊涉至夜乃還。指授將帥、各當其任。按、安卒贈太傅。把劍史記、季札之初使北、過徐、徐君好季札劍、口弗敢言、季札心知之、爲使上國未獻。還至徐、徐君已死、于是乃解其寶劍繫之徐君冢樹而去。從者曰、徐君已死、尚誰與乎。季子曰、不然、始吾心已許之、豈以死背吾心哉。

旅夜書懷

細草微風岸(陸。)、危檣獨夜舟(水。)。星垂平野闊(陸。)、月湧大江流(水。)。名豈文章著(承三句。)、官應老病休(承四句。)。飄飄何所似、天地一沙鷗。

登岳陽樓

昔聞洞庭水(聞。)、今上岳陽樓(見。)。吳楚東南坼(陸。)、乾坤日夜浮。親朋無一字(承三句。)、老病有孤舟(承四句。)。戎馬關山北、憑軒涕泗流。

岳陽樓　岳陽風土記、岳陽樓、城西樓也。方輿勝覽、樓在郡治西南、西面洞庭、左顧君山、不知創始。開元四年、張說出守是邦、與才士登臨賦詠、自此名著。

東南　史記趙世家、地坼東南。

王維

輞川閑居贈裴秀才迪

寒山轉蒼翠(山。)、秋水日潺湲(水。)。倚杖柴門外、臨風聽暮蟬(二句聞。)。渡頭餘落日、墟里上孤煙(二句見、又從上暮字生出。)。復值接輿醉、狂歌五柳前。

輞川　唐書王維傳、維成墅在輞川、地奇勝、有華子岡、敧湖、竹里館、柳浪、茱萸沜(古泮字)、辛夷塢、與裴迪游其中、賦詩相酬爲樂。雍錄、輞川在藍田縣西南二十里、王維別墅在焉。本宋之問別墅也。墟里　陶潛詩、曖曖遠人村、依依墟里煙。

山居秋暝

空山新雨後、山居。天氣晚來秋。秋暝。明月松間照、仰看。清泉石上流。俯看。竹喧歸浣女、陸路。蓮動下漁舟。水路。隨意春芳歇、王孫自可留。

隨意　薛道衡詩、庭草無人隨意綠。王孫　楚辭、王孫遊兮不歸、春草生兮萋萋。

歸嵩山作

清川帶長薄、車馬去閑閑。流水如有意、一去不返。暮禽相與還。倦飛知還。荒城臨古渡、水路。落日滿秋山。陸路。迢遞嵩高下、歸來且閉關。歸題。

嵩山　元和郡縣志、嵩高山在河南府告成縣西北二十三里、登封縣北八里、亦名外方山。東曰太室、西曰少室、總名嵩高、卽中嶽也。長薄　陸機挽歌、按轡遵長薄。注、草木叢曰薄、楚辭注、草木交錯曰薄。

終南山

太乙近天都、高。連山到海隅。遠。白雲迴望合、纔開卽合。青靄入看無。似有實無。分野中峯變、陰晴衆壑殊。欲投人處宿、隔水問樵夫。

太乙（五經要義、太乙、一名終南山、在扶風武功縣。名勝志、終南山、道書謂之太乙山。）天都（晉書、天都星主衣裳文繡。）青靄（江淹詩、虛堂起青靄、崦嵫生暮雲。）分野（陝志云、終南西起隴山、東踰商洛、綿亘千里。南北亦然。其盤踞不止一州之地、則知天之分野亦不專隸一舍。蔣注、謂中峯之北爲雍、爲井鬼、中峯之南爲梁、爲翼軫、失之鑿矣。）

酬張少府

晚年惟好靜、（上四句情。）萬事不關心。自顧無長策、空知返舊林。松風吹解帶、（下四句景。）山月照彈琴。君問窮通理、（即景寫情。）漁歌入浦深。

過香積寺

不知香積寺、（語語是過。）數里入雲峯。古木無人逕、（過。）深山何處鐘。（聞。）泉聲咽危石、（低頭聽。）日色冷青松。（仰頭見。）薄暮空潭曲、安禪制毒龍。

香積寺（雍錄、香積寺在子午谷正北、近昆明池鎬水發源之處。）泉咽（北山移文、石泉咽而下愴。）安禪（南征賦、令築室以安禪。）毒龍（法苑珠林、西方山中有池、毒龍居之。昔五百商人止宿池側、龍怒、汎殺商人。槃陀王婆羅門咒、就池咒龍、龍悔過向王、王乃捨之。）

送梓州李使君

萬壑樹參天、見。千山響杜鵑。聞。山中一夜雨、承千山句。樹杪百重泉。承萬壑句。漢女輸橦布、巴人訟芋田。文翁翻教授、送李。不敢倚先賢。

梓州 唐書地理志、梓州、梓潼郡。本新城郡、天寶元年更名。一統志、四川潼川州、唐爲梓州。 橦布 蜀都賦、布有橦華。注、橦、樹名、其花柔毳可績爲布。元和志、梓州輸布。晉書食貨志、夷人輸橦布戸一匹、遠者或一丈。 芋田 左思蜀都賦、瓜疇芋區。郭義恭廣志、蜀漢既繁芋、民以爲資。圖經本草、芋、今處處有之、閩、蜀、淮、楚尤多植。蜀川出者形圓而大、狀若蹲鴟、謂之芋魁。彼人種以當糧食而度饑年。 文翁 漢書、文翁少好學、通春秋、爲蜀郡守、見蜀地僻陋、欲誘進之、選郡縣小吏開敏有材者、遣詣京師、受業博士、又修起學宮、招下縣子弟以爲弟子、由是大化、比於齊魯。三國志、蜀本無學士、文翁遣相如東受七經、還教吏民、於是蜀學比於齊魯。

漢江臨眺

楚塞三湘接、荊門九派通。江流天地外、水勢浩蕩。山色有無中。山色微茫。郡邑浮前浦、承山色句。波瀾動遠空。承江流句。襄陽好風日、留醉與山翁。

漢江 一統志、漢江、源出隴西嶓冢山、由漢中流經鄖縣、均州、光化、至襄陽城北。 三湘 寰宇記、湘潭、湘鄉、湘陰爲三湘。 風日 庾信詩、何當好風日、極望長沙垂。 山翁 晉書山簡傳、簡鎭襄陽、諸習氏有佳園池、簡出必之池上置酒、輒醉曰、此我高陽池也。時有兒童歌曰、山公出何許、往至高陽池。

終南別業

中歲頗好道、晚家南山陲。興來每獨往、獨行。勝事空自知。獨覺。行到水窮處、低處。坐看雲起時。高處。偶然值林叟、談笑無還期。

孟浩然

臨洞庭上張丞相

八月湖水平、四句洞庭。涵虛混太清。氣蒸雲夢澤、波撼岳陽城。欲濟無舟楫、四句上張相。端居恥聖明。坐觀垂釣者、徒有羨魚情。

洞庭水經注、洞庭湖廣員五百餘里、日月若出沒於其中也。荊州記、洞庭湖一名青草湖。太清吳都賦注、太清、天也。氣蒸參同契、山澤氣蒸。雲夢周禮、正南曰荊州、其澤藪曰雲夢。一統志、雲夢在德安府安陸縣南五十里。舟楫書、若濟巨川、用汝作舟楫。羨魚漢書、臨淵羨魚、不如退而結網。

與諸子登峴山

人事有代謝、憑空落筆、若不著題、而自有神會。往來成古今。江山留勝跡、我輩復登臨。水落漁梁淺、天寒夢澤深。羊公碑尚在、應上半首。讀罷淚霑襟。

羊公碑晉書羊祜傳、祜性樂山水、每風景必造峴山置酒、言詠終日不倦。嘗慨然太息顧謂從事中郎鄒湛等曰、自有宇宙、便有此山、由來賢達勝士登此遠望、如我與卿者多矣、皆湮滅無聞、使人悲傷。湛曰、公令聞令望、必與此山俱傳、至若湛等、乃當如公言耳。祜卒、襄陽百姓建碑於山、見者墮淚。

宴梅道士山房

林臥愁春盡、搴帷覽物華。忽逢青鳥使、邀入赤松家。金竈初開火、仙（山房內。）桃正發花。（山房外。）童顏若可駐、何惜醉流霞。（宴。）

流霞　論衡、河東項曼斯好道、去鄉三年而反、曰、去時、有數仙人將上天、離月數里而止、月之旁甚寒淒愴。飢欲食、輒飲我流霞一杯、每飲輒數月不飢。

歲暮歸南山

北闕休上書、南山歸敝廬。不才明主棄、多病故人疏。白髮催年老、（年老。）青陽逼歲除。（歲暮。）永懷愁不寐、松月夜窗虛。

敝廬　庾信小園賦、余有數畝敝廬、寂寞人外。青陽　爾雅、春爲青陽、一日發生。注、氣青而溫陽。

過故人莊（題便住。）

故人具雞黍、邀我至田家。綠樹村邊合、青山郭外斜。開軒面場圃、把酒話桑麻。待到重陽日、還來就菊花。

具雞黍　漢書、范式、字巨卿、金鄉人、遊太學、與汝陽張劭友、並告歸、式約後二年當過拜尊親、共刻期日、至期、劭白母具雞黍以待、而式果至。

秦中寄遠上人

一丘常欲臥、三徑苦無資。北土非吾願、秦中。東林懷我師。黃金燃桂盡、旅況。壯志逐年衰。懷。日夕涼風至、聞蟬但益悲。

三徑 晉書陶潛傳、潛躬耕自資、遂抱羸疾、復爲鎮軍建威參軍、謂親朋曰、聊欲弦歌以爲三徑之資可乎。執事者聞之、以爲彭澤令。東林 高僧傳、沙門慧永、居在西林、與慧遠同宗舊好、遂要同永、謂刺史桓伊曰、遠公方當弘道、今徒屬已廣、而來者方多、貧道所棲、褊狹不足相處、如何。桓乃爲遠復於山東更立房殿、即東林是也。燃桂 戰國策、楚國之食貴於玉、薪貴於桂、謁者難見如鬼、王難見如天帝、今臣食玉炊桂、因鬼見帝、不亦難乎。沈佺期詩、歲炬常然桂、春盤預折梅。然、一作燃。涼風至 爾雅、北風謂之涼風。禮月令、是月也、涼風至。

宿桐廬江寄廣陵舊遊

二十字可作十五六層、而一氣貫注、無斧鑿痕迹。

山暝聽猿愁、滄江急夜流。風鳴兩岸葉、月照一孤舟。桐廬。建德非吾土、維揚憶舊遊。還將兩行淚、遙寄海西頭。

桐廬 唐書地理志、睦州新定郡有桐廬縣。輿圖備考、嚴州府桐廬縣桐江。建德 唐書地理志、睦州、隋遂安郡、武德四年改睦州、萬歲登封二年、移治建德。維揚 一統志、揚州府爲廣陵郡、古名維陽。

留別王維

寂寂竟何待、朝朝空自歸。欲尋芳草去、惜與故人違。當路誰相假、知音世所稀。祇應守寂寞、還掩故園扉。

當路孟子、夫子當路於齊。注、當路、居要地也。

早寒有懷

木落雁南渡、北風江上寒。我家襄水曲、遙隔楚雲端。鄉淚客中盡、孤帆天際看。迷津欲有問、平海夕漫漫。

襄水一統志、襄水在湖廣襄陽府城西北、北爲檀溪、南爲襄水。問津論語、使子路問津焉。

劉長卿

字文房、河間人。開元末進士、至德中、官鄂岳觀察使、吳仲孺奏貶、後終隨州刺史。

秋日登吳公臺上寺遠眺

寺即陳將吳明徹戰場。

古臺搖落後、秋入望鄉心。野寺來人少、雲峯隔水深。夕陽依舊壘、寒磬滿空林。惆悵南朝事、長江獨自今。

吳公臺一統志、揚州府城北、劉宋沈慶之所築弩臺也、陳將吳明徹增築、故名。

送李中丞歸漢陽別業

流落征南將、曾驅十萬師。（二句承流落。）罷歸無舊業、老去戀明時。（二句承曾驅。）獨立三邊靜、輕生一劍知。茫茫江漢上、日暮欲何之。（仍歸到首二字結。）

漢陽　唐書地理志、鄂州江夏郡漢陽縣。　三邊　後漢書鮮卑傳、幽、并、涼三州緣邊諸郡、歲被寇抄殺略。又、鮮卑寇三邊。

餞別王十一南遊（五字通首作意。）

望君煙水闊、揮手淚沾巾。飛鳥沒何處、青山空向人。長江一帆遠、落日五湖春。誰見汀洲上、相思愁白蘋。

五湖　周禮、揚州、其浸五湖、即太湖。其派有五、故名。又云、周五百里、故名。蘇州圖經、太湖接蘇、常、湖、秀四州界、范蠡泛五湖、當在此。一說洞庭、應澤、青草、雲夢、巴邱、亦曰五湖。　白蘋　九歌、登白蘋兮騁望。柳惲詩、汀洲采白蘋。

尋南溪常道士

一路經行處、（語語是尋。）莓苔見屐痕。白雲依靜渚、（遠處。）芳草閉閑門。（近處。）過雨看松色、（高處。）隨山到水源。（低處。）溪花與禪意、（南溪。道士。）相對亦忘言。

忘言　莊子、言者所以在意、得意而忘言。晉書、山濤與嵇康呂安善、後遇阮籍、便爲竹林之交、著忘言之契。

新年作

鄉心新歲切、天畔獨潸然。老至居人下、春歸在客先。嶺猿同旦暮、江柳共風煙。已似長沙傅、從今又幾年。

讀二句須將上兩字作一住。

潸然　潸、音刪、說文、涕流貌。詩小雅、潸焉出涕。　長沙傅　漢書賈誼傳、誼、雒陽人也。能誦詩書、屬文、稱於郡中、文帝召以爲博士、時誼年二十餘、最爲少。每召令議、諸老先生未能言、誼盡爲之對、人人各如其意所出、諸生於是以爲能、文帝說之、超遷、歲中至大中大夫。誼以爲漢興二十餘年、天下和洽、宜當改正朔、易服色、制法度、定官名、興禮樂、迺草具其儀法、色上黃、數用五、爲官名、悉更奏之、文帝謙讓未皇也。然諸法令所更定及列侯就國、其說皆誼發之、於是天子議以誼任公卿之位。絳灌東陽侯馮敬之屬、盡害之、迺毀誼曰、雒陽之人、年少初學、專欲擅權、紛擾諸事。於是天子後亦疏之、不用其議、以誼爲長沙王傅。三年、後歲餘、文帝思誼、徵之至、入見、上方受釐坐宣室、上因感鬼神事而問鬼神之本、誼具道所以然之故。至夜半、文帝前席。既罷曰、吾久不見賈生、自以爲過之、今不及也。迺拜誼爲梁懷王太傅。懷王、上少子、愛而好書、故令誼傅之、數問得失。梁王勝墜馬死、誼自傷其爲傅無狀、常哭泣。後歲餘亦死。賈生之死、年三十三矣。注、宣室、未央前正室也。釐、祭餘肉也。

錢起

字仲文、吳興人。天寶十年賜進士第一人、授祕書郎、終考功郎中。時與韓翃、李端輩十人號十才子、形於圖畫。又與郎士元齊名、人爲之語曰、前有沈宋、後有錢郎。

送僧歸日本

上國隨緣住、來途若夢行。浮天滄海遠、去世法舟輕。水月通禪寂、魚

（聲。）龍聽梵聲。惟憐一燈影、萬里眼中明。

日本 唐書日本國傳、日本、古倭奴也、去京師萬四千里、在海中、隋開皇末始與中國通。上國 左傳注、上國國諸夏。隨緣 南史顧歡傳、物有八萬四千行、說有八萬四千法。法乃至於無數、行亦達於無央。等級隨緣、須導歸一。浮天 晉天文志、天在地外、水在天外。水浮天而載地者也。海賦、浮天無岸。法舟 宋書天竺迦毗黎國傳、無上法船、濟諸沉溺。梵音 法華經、梵音海潮音、勝彼世間音。一燈 維摩詰經、譬一燈然百千燈、冥者皆明、明終不盡。

谷口書齋寄楊補闕

泉壑帶茅茨、（齋外。）雲霞生薜帷。（齋中。）竹憐新雨後、（雨。）山愛夕陽時。（晴。）閒鷺棲常早、（鳥。）秋花落更遲。（花。）家僮掃蘿徑、昨與故人期。（寄楊。）

補闕 唐書儀衛志、左補闕一人在左、右補闕一人在右。盆公題跋、國朝雍熙詔改拾遺補闕爲司諫。

韋應物

淮上喜會梁州故人

（一氣旋折、八句如一句。）

江漢曾爲客、相逢每醉還。浮雲一別後、流水十年間。歡笑情如舊、蕭疏鬢已斑。何因不歸去、淮上有秋山。（收淮上。）

淮 山海經、淮水至下邳淮陰縣與泗水合。梁州 梁州、今河南開封府。

賦得暮雨送李曹

楚江微雨裏、建業暮鐘時。漠漠帆來重、冥冥鳥去遲。海門深不見、浦樹遠含滋。相送情無限、沾襟比散絲。

雨。暮。雨。暮。暮。雨。送。

楚江淮南子、荊楚之地、江漢以爲池。建業吳志孫權傳、城石頭、改秣陵爲建業。海門地理志、京江口外有海門。散絲張協詩、密雨如散絲。

韓翃　字君平、南陽人。大吏辟爲從事、不得意、家居。一日、夜將半、叩門急、賀曰、旨除駕部郎中、知制誥。翃曰、誤矣。客曰、制誥乏人、中書兩進名不從。又請、曰、與韓翃。時有同姓名者、爲江淮刺史、又具二人同進、御批與詠春城無處不飛花之韓翃。此君詩也。翃始信。時建中初也。終中書舍人。

酬程近秋夜卽事見贈

四句當作十七八層看。

長簟迎風早、空城澹月華。星河秋一雁、砧杵夜千家。節候看應晚、心期臥已賒。向來吟秀句、不覺已鳴鴉。

見。聞。卽事。

簟正韻、竹名。南越志、博羅縣東洲足簟竹、銘曰、簟竹既大、薄且空中。節長一丈、其長如松。

劉眘虛　字挺卿、江東人、夏縣令。與賀知章、張旭、包融爲吳中四友。眘、古愼字。

闕題

此以深柳句爲主、言由白雲盡處而來、見溪水長流、落花浮至、而門向

道由白雲盡、春與青溪長。時有落花至、遠隨流水香。閑門向山路、深

山開、堂極深窈、雖白日惟清輝幽映耳。柳讀書堂。幽映每白日、清輝照衣裳。

戴叔倫

字幼公、潤州人。師事蕭穎士、爲門人冠。劉晏管鹽鐵、表主管湖南。至雲安、楊惠琳反、馳客劫之曰、歸我金帶可緩死。叔倫曰、身可殺財不可得。乃捨之。德宗嘗賦中和節詩遣使者寵賜。歷撫州刺史、容管經略使、所至治行稱最。

江鄉故人偶集客舍

天秋月又滿、城闕夜千重。還作江南會、翻疑夢裏逢。風枝驚暗鵲、露草泣寒蟲。（以比客況。）羇旅長堪醉、相留畏曉鐘。

羇旅廣韻、羇旅、旅寓也。周禮地官、遺人野鄙之委積、以待羇旅。注、羇旅、過行寄止者。

盧綸

字允言、河中蒲人。大曆初、數舉進士不入第、以元載薦、授監察御史。舅韋渠牟得幸德宗、表其才、召見、帝有所作輒使賡和、與吉中孚、韓翃、錢起、司空曙、苗發、崔洞、耿湋、夏侯審、李端齊名、號大曆十才子。既從渾瑊在河中、驛召之、會卒、官止檢校戸部郎中。文宗尤愛其詩、遣中人悉索家笥、得詩五百篇。

送李端

故關衰草徧、離別正堪悲。（行者。）路出寒雲外、人歸暮雪時。（送者。）少孤爲客早、（悲李。）多難（自悲。）識君遲。掩泣空相向、風塵何所期。

李端字正己、趙州人。大曆中進士、官杭州司馬。

李益　字君虞、姑臧人。成進士、不達、劉濟辟爲從事。呈詩有不上望京樓句、憲宗召還、官集賢殿學士。負才凌衆、諫官暴其在濟時詩、貶官散秩、後仍屢遷、以禮部尚書終。

喜見外弟又言別

十年離亂後、長大一相逢。問姓驚初見、（初見。）稱名憶舊容。（接談。）別來滄海事、（敍舊。）語罷暮天鐘。（畢。）明日巴陵道、（又別。）秋山又幾重。

外弟儀禮、姑之子。注、外兄弟也。疏、外兄弟者、姑是內人、以出外而生故也。巴陵舊唐書地理志、岳州天寶元年改爲巴陵郡。

司空曙　字文明、廣平人。貞元中登進士第、爲水部郎中、終虞部郎中。

雲陽館與韓紳宿別

故人江海別、（一句從前別起。）幾度隔山川。（又別。）乍見翻疑夢、（會。）相悲各問年。（敍談。）孤燈寒照雨、（館宿。）深竹暗浮煙。更有明朝恨、離杯惜共傳。

雲陽舊唐書地理志、京兆府領、雲陽縣。今陝西三原縣地。

喜外弟盧綸見宿

靜夜四無隣、荒居舊業貧。雨中黃葉樹、（十字入層。）燈下白頭人。以我獨沈久、愧君相見頻。平生自有分、況是霍家親。（外弟。）

霍家親　唐詩別裁作蔡家親。注、博物志、蔡伯喈母、袁曜卿之姑。羊祜爲蔡伯喈外孫、將進爵土、乞以賜舅子蔡襲。又、南史、蔡興宗甥袁顗子昂、皆名士。全唐詩亦作蔡家親。

賊平後送人北歸

世亂同南去、時清獨北還。他鄉生白髮、（承南去。）舊國見青山。（承北還。）曉月過殘壘、（早行。）繁星宿故關。（晚宿。）寒禽與衰草、（聞見。）處處伴愁顏。

劉禹錫　字夢得、彭城人。始附王叔文、擢度支員外郎。憲宗立、叔文敗、夢得貶連州、又出刺後召還、出刺播州、易連州、易夔州和州、入爲主客郎、進集賢學士、又出刺蘇州。會昌時、檢校禮部尚書。

蜀先主廟

天地英雄氣、（字字精切簡括。）千秋尚凜然。勢分三足鼎、業復五銖錢。得相能開國、生兒不象賢。淒涼蜀故伎、來舞魏宮前。

英雄　三國志、初、董承稱受獻帝衣帶中詔、與帝謀誅曹操。操從容謂帝曰、今天下英雄惟使君與操耳。本初之徒、不足數也。　鼎足　孫楚與孫晧書、自謂三分鼎足之勢、可與泰山相終始。　五銖錢　漢書武帝紀、元狩五年、罷半兩錢、行五銖錢。漢末童謠云、黃牛白腹、五銖當復。　得相　三國志、諸葛亮寓居隆中草廬、自比管仲樂毅。帝訪于司馬徽、徽曰、識時務者在俊傑、此間自有伏龍鳳雛。帝問誰。曰、諸葛孔明、龐士元也。帝由是請亮、三往乃得見。帝曰、孤之有孔明、猶魚之有水也。

生兒 後帝紀、魏鍾會鄧艾、統十餘萬衆趨漢中、衛將軍諸葛瞻與艾戰于綿竹、敗績、及其子尚皆死之。艾至成都、譙周勸帝、遂出降。姜維得帝勅命、亦降魏。魏封帝爲安樂公。他日與宴、作蜀技、旁人皆感愴、帝喜笑自若。司馬昭謂賈充曰、人之無情、乃至於是、雖使諸葛亮在、不能輔之、況姜維乎。

象賢 禮記、繼世以立諸侯、象賢也。

張籍

唐書張籍傳、字文昌、和州烏江人。第進士、韓愈薦爲國子博士、歷水部員外郎、主客郎中、當時有名士皆與游而重之。籍性狷直、嘗責愈喜簙塞及爲駁雜之說、其排釋老不能著書、若孟軻揚雄以垂世者。仕終國子司業。按、簙塞、戲具。

沒蕃故人

前年戍月支、城下沒全師。蕃漢斷消息、死生長別離。無人收廢帳、歸馬識殘旗。欲祭疑君在、天涯哭此時。

月支 支、同氏。西域國名。

白居易

草

唐詩別裁作賦得古原草送別。

詩以喩小人也。

離離原上草、一歲一枯榮。野火燒不盡、銷除不盡。春風吹又生。得時即生。遠芳侵古道、干犯正路。晴 文翠接荒城。飾鄙陋。又送王孫去、萋萋滿別情。御最易感人。

野火　曹植詩、願爲林中草、秋隨野火燔。

杜牧　字牧之、宰相佑之孫。太和二年第進士、復擧賢良方正、沈傳師表爲江西團練府巡官、又爲牛僧孺節度府掌書記、擢監察御史、分司東都、歷黃、池、睦三州刺史、入爲司勳員外郎。嘗兼史職、復乞爲湖州刺史、以考功郎中知制誥終中書舍人。史稱其剛直有奇節、不爲齷齪小謹、敢論列大事、指陳利病尤切。至時無右援、怏怏卒。今有樊川集、詩情至豪邁、人號小杜、以別於少陵。

旅宿

旅館無良伴、凝情自悄然。寒燈思舊事、見。斷雁警愁眠。聞。遠夢歸侵曉、去。家書到隔年。來。滄江好煙月、門繫釣魚船。中二聯當作二十層看。

許渾　字用晦、丹陽人。太和六年進士、歷官當塗、太平二令、潤州司馬。大中間任監察御史、終睦郢二州刺史。

秋日赴闕題潼關驛樓

紅葉晚蕭蕭、秋日。長亭酒一瓢。驛樓。殘雲歸太華、疎雨過中條。格意直追初盛。樹色隨關迥、見。河聲入海遙。聞。帝鄉明日到、赴闕。猶自夢漁樵。

潼關　水經、河水又南至華陰潼關、渭水從西來注之。注、河在關內、南流潼激關山、因謂之潼關。灌水注之。按、潼關在今陝西同州府潼關縣。　太華夏書、西傾、朱圉、鳥鼠、至于太華。爾雅、華山爲西嶽。注、太華。地志、在京兆華陰縣西。中條括地志、蒲州河東縣雷首山、一名中條山。亦名首陽。

早秋

遙夜汎清瑟、字字切早。西風生翠蘿。殘螢棲玉露、低處。早雁拂金河。高處。高樹曉還密、近處。遠山晴更多。遠處。淮南一葉下、自覺洞庭波。

玉露蕭統七月啓、金風曉振、偏傷征客之心。玉露夜凝、眞泣仙人之掌。金河禮、立秋、盛德在金。庾信文、玉臺眞氣、金河仙液。江總歌、織女今夕渡銀河。一葉淮南子、見一葉落而知歲之將暮。洞庭波屈原九歌、嫋嫋兮秋風、洞庭波兮木葉下。

李商隱

蟬

本以高難飽、無求於世。徒勞恨費聲。不平則鳴。鳴則蕭然。五更疏欲斷、止則寂然。一樹碧無情。上四句借蟬喻己、以下直抒己意。薄宦梗猶汎、故園蕪已平。煩君最相警、我亦舉家清。

梗汎說苑、土偶謂桃梗曰、子東園之桃也。刻子爲梗、遇天大雨、水潦並至、必浮子泛泛乎不知所止。蕪陶潛歸去來辭、田園將蕪胡不歸。

風雨

淒涼寶劍篇、羈泊欲窮年。黃葉仍風雨、仍字自字詩眼。青樓自管絃。新知遭薄俗、舊好隔良緣。心斷新豐酒、消愁又幾千。

寶劍篇 唐書、武后索郭元振所爲文章、上寶劍篇。 青樓 曹植美女篇、青樓臨大路、高門結重關。南史、齊武帝於興元樓上施青漆、謂之青樓。詩家多以爲狹斜之稱。 新豐 漢地理志、太上皇思東歸、於是高祖改築城市街里以象豐、徙豐民以實之、故號新豐。按新豐、即今西安臨潼縣。 新豐酒 梁元帝詩、試酌新豐酒、遙勸陽臺人。

落花

高閣客竟去、小園花亂飛。（花落則無人相賞、故竟去也。）參差連曲陌、迢遞送斜暉。腸斷未忍掃、眼穿（望）仍欲歸。（春留而春自歸。）芳心向春盡、所得是沾衣。

涼思

客去波平檻、（涼字分四層。）蟬休露滿枝。永懷當此節、（足思字意。）倚立自移時。北斗兼春遠、南陵寓使遲。天涯占夢數、疑誤有新知。

南陵 舊唐書、梁置南陵縣、武德七年屬池州、後屬宣州。

北青蘿

殘陽西入崦、茅屋訪孤僧。（初不見、故訪。）落葉人何在、寒雲路幾層。（路遠。）獨敲初夜磬、（初聞磬、後）閑倚見枝。一枝籐。世界微塵裏、吾寧愛與憎。

青蘿江淹江上之山賦、挂青蘿兮萬仞、竪丹石兮百重。入崦山海經、崦嵫山下有虞淵、日所入。微塵法華經、譬如有經卷書寫三千大千世界事、全在微塵中。時有智人、破彼微塵、出此經卷。愛憎楞嚴經、人在世間、直微塵耳、何必拘于憎愛而苦此心也。

溫庭筠

本名岐、字飛卿、幷州人。工側詞艷曲、累舉不第。大中末、以上書授方山尉、仍失意歸。與令狐綯不協、薄爲有才無行。徐商知政事、用爲國子助教、商罷、尋廢。相傳庭筠入試時、押官韻八叉手而賦成、名溫八叉。與李商隱齊名、不虛也。

送人東遊

荒戍落黃葉、浩然離故關。直逼初盛。高風漢陽渡、初日郢門山。江上幾人在、天涯孤棹還。何當重相見、樽酒慰離顏。

漢陽左傳、漢陽諸姬、楚實盡之。按、漢陽、卽今湖廣漢陽府。郢說文、郢、楚都、在南郡江陵北十里許。

馬戴

字虞臣、未詳里居、會昌四年進士。大中初、太原李司空辟掌書記、以正言斥爲龍陽尉、終太常博士。

灞上秋居

灞原風雨定、晚見雁行頻。落葉他鄉樹、二句十層。寒燈獨夜人。空園白露滴、孤壁野僧鄰。寄臥郊扉久、何年致此身。

灞水經注、灞水出藍田縣。按、灞水上有橋、漢時送行者多至此折柳贈別。

楚江懷古

露氣寒光集、微陽下楚丘。猿啼洞庭樹、(開)人在木蘭舟。(見)廣澤生明月、(水)蒼山夾亂流。(山)雲中君不見、(懷古)竟夕自悲秋。

木蘭舟 述異記、木蘭川在潯陽、江中多木蘭樹、魯般刻爲舟。雲中君 九歌雲中君、靈皇皇兮既降、猋遠舉兮雲中。注、言雲神往來急疾。悲秋 潘岳秋興賦、悲哉秋之爲氣也。

張　喬 池州人。咸通中、與許棠、鄭谷、張蠙諸人同號十哲。黃巢之亂、隱九華以終。

書邊事

調角斷清秋、征人倚戍樓。春風對青冢、白日落梁州。大漠無兵阻、窮邊有客游。蕃情似此水、長願向南流。

青冢 歸州圖經、胡中草多白、王昭君冢草獨青、號曰青冢。梁州 書、華陽黑水惟梁州。按、今陝西商州、卽古梁州之域。

崔　塗 字禮山、江南人。光啓中進士。

除夜有懷

迢遞三巴路、羈危萬里身。（十字十層。）亂山殘雪夜、孤燭異鄉人。漸與骨肉遠、（有懷。）轉於僮僕親。那堪正飄泊、明日歲華新。（除夜。）

孤雁

幾行歸塞盡、（十字切孤。）念爾獨何之。暮雨相呼失、（四句二十層。）寒塘欲下遲。渚雲低暗度、關月冷相隨。未必逢矰繳、（點明孤字。）孤飛自可疑。

矰繳淮南子、雁銜蘆而飛、以避矰繳。三輔黃圖、具矰繳。以射鳧雁、給祭祀。

杜荀鶴　字彥之、池州人。大順中進士、後授翰林學士、知制誥。自序其文爲唐風集。

春宮怨

早被嬋娟誤、欲妝臨鏡慵。承恩不在貌、（傷心在此。）教妾若爲容。風暖鳥聲碎、（鬧。切春。）日高花影重。（見。）年年越溪女、相憶采芙蓉。

嬋娟說文、嬋娟、好姿態也。若爲陳後主后沈妾華詩、情知不肯住、教妾若爲留。越溪越溪方輿勝覽、若耶溪、越溪、西施采蓮於此。一名

韋　莊　字端己、杜陵人。乾寧中進士、授校書郎、後依王建。建即僞位、拜散騎常侍、進吏部侍郎平章事、卒。

章臺夜思

清瑟怨遙夜、四句夜。繞絃風雨哀。孤燈聞楚角、聞。殘月下章臺。見。芳草已云暮、四句思。故人殊未來。鄉書不可寄、秋雁又南迴。

章臺漢書張敞傳、走馬章臺街、以便面拊馬。注、章臺、在長安中。

僧皎然 俗姓謝氏、字清晝、吳興人、靈運第十世孫。居杼山、顏魯公爲刺史、集文士撰韻海、皎然預其論著。貞元中取其集藏之、于頔爲序。

尋陸鴻漸不遇

移家雖帶郭、尋家。野徑入桑麻。途中。近種籬邊菊、將到。秋來未著花。上四句尋。扣門無犬吠、到門。欲去問西家。報道山中去、不遇。歸來每日斜。下四句不遇。

陸鴻漸 按、唐書隱逸傳、陸羽、字鴻漸、復州竟陵人。嗜茶、著茶經三本、言茶之原之法之具尤備、天下益知飲茶矣。時鬻茶者至陶羽形置煬突間、祀爲茶神。

唐詩三百首補註卷六

七言律詩 是五言八句之變也。在唐以前、沈君攸七言儷句已近其調、至唐人始專此體。

崔　顥 汴州人。開元進士、官司勳員外郎。

黃鶴樓

嚴滄浪云、唐人七律詩、當以此爲第一。

昔人已乘黃鶴去、此地空餘黃鶴樓。黃鶴一去不復返、白雲千載空悠悠。晴川歷歷漢陽樹、芳草萋萋鸚鵡洲。日暮鄉關何處是、煙波江上使人愁。

黃鶴樓齊諧記、仙人子安乘黃鶴過此。按、黃鶴山者、黃鶴、亦作黃鵠。晴川按、袁嶠之詩、俯仰晴川渙。晴川閣在漢陽府東。鸚鵡洲鸚鵡洲、在江夏西大江中、黃祖殺禰衡處。衡嘗作白鸚鵡賦、故遇害之地得名。庾信哀江南賦、落帆黃鶴之浦、藏船鸚鵡之洲。

行經華陰

岧嶢太華俯咸京、天外三峯削不成。武帝祠前雲欲散、仙人掌上雨初晴。河山北枕秦關險、驛路西連漢畤平。借問路旁名利客、何如此地學長生。

華陰華陰縣在同州府、因華山在前、故名。咸京按、咸陽。唐仲言唐詩解、咸京、卽秦漢建都於此、故名。太華三峯廣輿記、太華石壁直上如削成、最著者曰蓮花、玉女、明星三峯、而仙掌崖、日月巖、蒼龍嶺皆奇境也。**武帝祠** 華山志、巨靈、九元祖也。武帝觀仙掌、特立巨靈祠。**仙人掌** 述征記、華山對海東首陽山、黃河流于二山之間、古語云、此本一山當河、河水過之而曲行、河神以手擘開其上、足蹈離其下、中分爲兩、以通河流。手足之形、今尚在。於 **秦關** 雍錄、華陰縣東二百里、秦函谷關也。**漢時** 括地志、漢武帝時、在岐州雍縣南。孟康曰、時者、神靈之所止也。**長生** 莊子、廣成子曰、無勞汝形、無搖爾精、乃可以長生。

祖　詠

洛陽人。開元十三年進士。張說在并州引爲駕部員外郎。

望薊門

燕臺一去客心驚、（字字是望、非泛咏薊門。）笳鼓喧喧漢將營。（遠望。）萬里寒光生積雪、三邊曙色動危旌。（高望。）（承危旌句。）（承積雪句。）

沙場烽火侵胡月、海畔雲山擁薊城。少小雖非投筆吏、論功還欲請長纓。

燕臺 六帖、燕昭王置千金於臺上、以延天下士、謂之黃金臺。**薊門** 一統志、薊門關在薊州。燕歌行、惟有漢北薊城雲。王褒 **投筆** 後漢書班超傳、超家貧、爲官傭書。嘗輟業投筆歎曰、大丈夫無他志略、猶當效傅介子張騫立功異域、以取封侯、安能久事筆硯間乎。**長纓** 漢書終軍傳、軍自請願受長纓、必羈南越王而致之闕下。

崔　曙

宋州人。開元二十六年進士。以試明堂火珠詩有云、夜來雙月合、曙後一星孤。由是得名。明年卒、惟遺一女名星星、是其讖也。

九日登望仙臺呈劉明府

漢文皇帝有高臺、此日登臨曙色開。二句臺前形勢。三晉雲山皆北向、二陵風雨自東來。關門令尹誰能識、言望之無益也。河上仙翁去不回。且欲近尋彭澤宰、明府。陶然共醉菊花杯。

望仙臺　神仙傳、河上公授文帝老子而去、失所在、帝於西山築臺望之。三晉　孟子註、魏氏、韓氏、趙氏、共分晉地、號爲三晉。二陵　左傳、殽有二陵焉、其南陵、夏后皐之墓也、其北陵、文王之所避風雨也。關門令尹　漢書藝文志、關尹子九篇、名喜、爲關吏。老子過關、喜去吏而從之。河上仙翁　葛洪神仙傳、河上公、漢文帝時結草庵河上、帝讀老子有不解、遣問之、曰、道尊德貴、非可遙問。帝幸其庵問曰、普天之下、莫非王臣、不能自屈、無乃高乎。公卽冉冉在空曰、余上不至天、中不至人、下不至地、何臣之有。帝乃下車稽首、公授素書一卷。

李頎

送魏萬之京

朝聞遊子唱離歌、昨夜微霜初度河。鴻雁不堪愁裏聽、雲山況是客中過。關城曙色催寒近、御苑砧聲向晚多。莫是長安行樂處、良友規勉之言。空令歲月易蹉跎。

魏萬　唐詩紀事、魏萬、後名顥、上元初登第。

李白

登金陵鳳凰臺

鳳凰臺上鳳凰遊、鳳去臺空江自流。吳宮花草埋幽徑、晉代衣冠成古丘。傷時事。三山半落青天外、二水中分白鷺洲。總爲浮雲能蔽日、長安不見使人愁。憂帝室。

鳳凰臺 六朝事蹟、宋元嘉中、鳳凰集于是山、乃築臺于山椒、以旌嘉瑞。在府城西南二里、今保寧寺是也。江寧通志、鳳凰臺在江寧府城內之西南隅、猶有陂陀可以眺望。 吳宮 吳宮、謂孫權建都時所造宮室。 三山 一統志、三山、在應天府西南五十七里、周迴四望、高二十九丈。輿地志、其山積石森鬱、濱於大江、三峯排列、南北相連、故號三山。 二水 史正志碑、秦淮源出句容溧水兩山間、至建康分爲二支、一支入城、一支繞城外、共夾一洲曰白鷺。 浮雲 陸賈新語、邪臣之蔽賢、猶浮雲之障日月也。

高適

送李少府貶峽中王少府貶長沙

嗟君此別意何如、駐馬銜杯問謫居。巫峽啼猿數行淚、峽中。衡陽歸雁幾封書。長沙。青楓江上秋帆遠、長沙。白帝城邊古木疎。峽中。聖代卽今多雨露、暫時分手莫躊躇。

少府 按、卽縣尉。 駐馬銜杯 開元遺事、長安俠少、每春時並轡往來、使僕從執杯而隨之、遇好花則駐馬而飮。 巫峽 唐書地理志、夔州雲安郡、有巫山縣、中有巫山、巫峽在夷陵、首尾百六十里、三峽之一。 啼猿數行淚 荆州記、漁者歌曰、巴東三峽巫峽長、猿鳴三聲淚霑裳。伏挺詩、聽猿方對岫。 青楓江 本注、長沙有青楓江。名勝志、瀏水至長沙縣南爲青浦、亦名雙楓浦。縣有八景、楓浦漁樵其一也。 白帝城 夔州府東有白帝山、與赤甲山相接。按、公孫述據蜀時、有白龍自井中出、因名山併以名城。

岑參

和賈至舍人早朝大明宮之作

雞鳴紫陌曙光寒（低頭看。）、鶯囀皇州春色闌（仰頭看。）。金闕曉鐘開萬戶（閒自宮內。）、玉階仙仗擁千官（見自外人。）。
花迎劍佩星初落、柳拂旌旗露未乾。獨有鳳凰池上客（和賈。）、陽春一曲和皆難。

賈至　字幼鄰、洛陽人。擢明經第、爲單父尉。明皇幸蜀、拜中書舍人、知制誥。撰肅宗冊文、命往奉冊、累封信都縣伯、以散騎常侍卒、謚曰文。　大明宮　長安志、大明宮在禁苑之東南、貞觀八年置爲永安宮城、九年改曰大明宮、以備太上皇清暑。百官獻貲財以助役。龍朔三年大加興造、號曰蓬萊宮。　紫陌　謝莊應詔詩、紫陌協笙鏞。　鶯囀皇州　禽經、鶯喜則囀。謝脁詩、春色滿皇州。注、皇州、謂帝都也。　玉階　班固西都賦、玉階彤庭。注、玉階、玉飾階也。　花柳　朱晦庵云、唐時殿庭間皆植花柳、故杜甫詩有退朝花底散、歸院柳邊迷之句。此岑詩用花柳字、亦其一證。　陽春　宋玉對楚王問、客有歌於郢中者、其始曰下里巴人、國中屬而和者數千人。其爲陽阿薤露、國中屬而和者數百人。其爲陽春白雪、國中屬而和者不過數十人。引商刻羽、雜以流徵、國中屬而和者不過數人而已。是其曲彌高、其和彌寡。

王維

和賈至舍人早朝大明宮之作

絳幘雞人報曉籌、宮外。尙衣方進翠雲裘。宮中。和賈。九天閶闔開宮殿、自內而外。萬國衣冠拜冕旒。自外而內。

日色纔臨仙掌動、香煙欲傍衮龍浮。朝罷須裁五色詔、佩聲歸到鳳池頭。

絳幘雞人 漢官儀、宮中輿臺、並不得畜雞。夜漏未明三刻、雞鳴、衛士候於朱雀門外、著絳幘專傳雞唱。周禮、雞人夜嘑旦、以嘂百官。 尙衣 唐書百官志、尙衣局、奉御二人、直長四人、掌供冕旒几案。 翠雲裘 宋玉諷賦、主人之女、翳承日之華、披翠雲之裘。 九天 呂氏春秋、中央曰鈞天、東方曰蒼天、東北曰變天、北方曰玄天、西北曰幽天、西方曰顥天、西南曰朱天、南方曰炎天、東南曰陽天。 閶闔 漢書禮樂志、游閶闔。注、閶闔、天門。淮南子註、閶闔、始升天之門。 冕旒 禮玉藻、天子玉藻、十有二旒。按、冕旒、以絲繩貫玉、垂冕前後也。 仙掌 三輔黃圖、廟記曰、神明臺、武帝造、祭仙人處。上有承露盤、有銅仙人舒掌捧銅盤玉杯、以承雲表之露。以露和玉屑服之、以求仙道。長安記、仙人掌大七圍、以銅爲之。 衮龍 禮、天子龍衮。 五色詔 事始、石季龍詔書、用五色紙銜於木鳳口而頒行。

奉和聖製從蓬萊向興慶閣道中留春雨中春望之作應制

渭水自縈秦塞曲、黃山舊繞漢宮斜。鑾輿迥出千門柳、仰看。閣道迴看上苑花。俯看。

雲裏帝城雙鳳闕、雨中春樹萬人家。爲乘陽氣行時令、不是宸遊玩物華。

蓬萊 雍錄、大明宮南端門名丹鳳、在平地門北。三殿相踏、皆在山上、至紫宸又北、則爲蓬萊殿。殿北有池、亦云蓬萊池。 興慶 劉昫唐書、興慶宮在東內之南隆慶坊、本玄宗在藩時宅也。自東內達南內、有夾城複道、經通化門達南內、人主往來兩宮、人莫知之。 閣道 史記、周馳爲閣道、自殿下直抵南山。張衡西京賦、鉤陳之外、閣道穹隆。註、閣道、飛陛也。黃山 漢書地理志、右扶風槐里縣、有黃山宮、孝惠二年起。揚雄傳、北繞黃山、瀕渭而東。三輔黃圖、黃山宮在興平縣西三十里。水經、渭水又東北逕黃山宮南。鑾輿 班固西都賦、乘鑾輿、備法駕。陽氣 禮月令、陽氣發泄。後漢書郎顗傳、方春東作、布德之元。陽氣開發、養導萬物。王者因天視聽、奉順時氣、宜務崇溫柔、遵其行令。時令 禮月令、天子乃與公卿大夫共飭國典、論時令。

積雨輞川莊作

積雨空林煙火遲、蒸藜炊黍餉東菑。漠漠水田飛白鷺、(低處。見。)陰陰夏木囀黃鸝。(高處。聞。)
山中習靜觀朝槿、松下清齋折露葵。野老與人爭席罷、海鷗何事更相疑。

蒸藜 爾雅翼、似王芻。毛詩義疏、萊、藜也。並葉皆今兗州蒸以為茹、謂之萊藜。黍 古今註、稻之黏者為黍。東菑 謝朓詩、笠聚東菑。習靜 何遜詩、習靜悶衣巾、讀書煩几案。朝槿 埤雅、木槿似李、五月始花。月令、木槿榮、是也。花如葵、朝生夕隕、一名舜。蓋瞬之義取於此。王僧孺詩、妾意在寒松、君心逐朝槿。清齋 楞嚴經、我時辭佛、晏晦清齋。按、舊唐書文藝傳、王維奉佛、居常蔬食、不茹葷血、晚年長齋、不衣文彩。露葵 宋玉賦、烹露葵之羹。曹植七啟、霜蓄露葵。蓄與葵、宜於霜露之時。爭席 列子、楊朱南之沛、王梁、而遇老子、老子曰、而睢睢盱盱、而誰與居、大白若辱、盛德若不足。楊朱蹙然變容曰、敬聞命矣。其往也、舍者將迎、家公執席、妻執巾櫛、舍者避席、煬者避竈。其反也、舍者與之爭席矣。海鷗 列子黃帝篇、海上之人有好漚鳥者、每日之海上、從漚鳥游、漚鳥之至者百住而不去。其父曰、吾聞漚鳥皆從汝游、汝取來吾玩之。明日之海上、漚鳥舞而不下。

贈郭給事

洞門高閣靄餘暉、二句所見。桃李陰陰柳絮飛。禁裏疎鐘官舍晚、二句所聞。省中啼鳥吏人稀。晨搖玉佩趨金殿、入。夕奉天書拜瑣闈。出。強欲從君無那老、酬郭。將因臥病解朝衣。〔入。〕

給事。漢書百官志、中常侍五員、掌侍左右。從入內宮、正五品上。贊導內衆事、顧問應對給事。

洞門 漢書董賢傳、重殿洞門。註、洞門、謂門門相對也。 官舍 史記陳豨傳、邯鄲官舍皆滿。 省中 漢書昭帝紀、共養省中。註、本爲禁中、門閤有禁、非侍衞之臣不得妄入。孝元皇后父名禁、故避之曰省中。師古曰、省、察也。言入此中、皆當省察視、不可妄也。 瑣闈 劉昭後漢書註、後漢書曰、黃門郎屬黃門令、日暮、入對青瑣門拜、名曰夕郎。宮閣簿、青瑣門在南宮。衞瓘注吳都賦曰、青瑣、戸邊青鏤也。 那 韻會、那、語助也、乃箇切、音與奈同。後漢書韓康傳、公是韓伯休那。注、那、語餘聲也、音乃賀反。 解朝衣 張協詩、抽簪解朝衣、散髮歸海隅。

杜甫

蜀相

丞相祠堂何處尋、錦官城外柏森森。映階碧草自春色、見。隔葉黃鸝空好音。聞。三顧頻煩天下計、兩朝開濟老臣心。自始至終、一生功業心事、四語括盡。出師未捷身先死、長使英雄淚滿襟。

祠堂 按、在成都府城南二里。方輿勝覽、武侯初亡、百姓遇節朔私祭於道。李雄稱王、始爲廟少城內。桓温平蜀、夷少城、獨存武侯廟。 三顧 諸葛亮出師表、三顧臣於草廬之中。 頻煩 庾亮表、頻煩省闥、出總六軍。 兩朝 按、杜集註、兩朝、指先主後主也。 開濟 晉書楚隱王瑋傳、瑋性開濟、能得衆心。未捷身死（諸葛亮傳、亮悉大衆由斜谷出據武功五丈原、與司馬懿對於渭南、相持百餘日、疾、卒於軍。）

客至（喜崔明府見過。）

舍南舍北皆春水、但見羣鷗日日來。花徑不曾緣客掃、蓬門今始爲君開。
盤飧市遠無兼味、樽酒家貧只舊醅。肯與鄰翁相對飲、隔籬呼取盡餘杯。

兼味（潘岳誄、珍兼味。）　盤飧（左傳、乃饋盤飧置璧焉。）　醅（廣韻、醅、酒未漉也。）

野望

西山白雪三城戍、（高處望。）南浦清江萬里橋。（低處望。）海內風塵諸弟隔、天涯涕淚一身遙。（二句八層。）
惟將遲暮供多病、未有涓埃答聖朝。跨馬出郊時極目、不堪人事日蕭條。

西山（一統志、西山、在成都府西、一名雪嶺。）　三城戍（按、杜集本注、三城、在松維等州之界、時爲吐蕃所擾。唐書高適傳、上皇還京、復分劍南爲兩節度、百姓弊于奔命、而西山三城列戍。）　萬里橋（一統志、萬里橋在成都府中和門外。）

聞官軍收河南河北

劍外忽傳收薊北、初聞涕淚滿衣裳。卻看妻子愁何在、漫卷詩書喜欲狂。（一氣旋折、八句如一句、而開合動盪、元氣渾然、自是神來之作。）
白日放歌須縱酒、青春作伴好還鄉。即從巴峽穿巫峽、便下襄陽向洛陽。

官軍　本注、寶應元年十一月、官軍破賊于洛陽、進取東都、河南平。朝義走河北、李懷仙斬其首以獻、河北平。此詩蓋公在劍外聞捷書而作也。唐書、寶應元年冬十月、僕固懷恩等屢破史朝義兵、進克東京、其將薛嵩以相衛等州降、張志忠以恒趙等州降。次年春正月、朝義走至廣陽自縊、其將田承嗣以莫州降、李懷仙以幽州降。

妻子　按、原注、時已迎家至梓。　襄陽洛陽　原注、余田園在東京、又出峽東北向、便由襄陽入洛陽。顧注、公先世襄陽人、曾祖依藝爲鞏令、徙河南。父閑爲奉天令、徙杜陵。

登高

（上。二句十四層。）

風急天高猿嘯哀、渚清沙白鳥飛迴。（下。）無邊落木蕭蕭下、（上。）不盡長江滾滾來。（下。）

萬里悲秋常作客、百年多病獨登臺。（二句又十四層。一橫說。一豎說。）艱難苦恨繁霜鬢、（二句又十餘層。）潦倒新停濁酒杯。

繁霜鬢　詩、正月繁霜。子夜歌、霜鬢不可視。　潦倒　五總志、魏天寶間謂容止蘊藉爲潦倒。宋武帝擧止行事、以劉穆之爲節度、此非蘊藉潦倒之士耶。而後世以潦倒爲不偶之人、誤矣。嵇康與山巨源絕交書、足下舊知吾潦倒麤疎、不切事情。

登樓

花近高樓傷客心、萬方多難此登臨。錦江春色來天地、（如春去復來。）玉壘浮雲變古今。（如雲出即變。）

北極朝廷終不改、西山寇盜莫相侵。（昏庸如後主人猶祀之、可見終不改也、得武侯則寇靖矣。）可憐後主還祠廟、日暮聊爲梁甫吟。

錦江　蜀志、錦江、織錦濯其中則鮮明、故名曰錦里。按、錦江在成都府華陽縣南。　玉壘　蜀都賦、包玉壘而爲宇。注、玉壘、山名、湔水出焉。在成都西北岷山界。一統志、玉壘山在成都府灌縣西北。**西山寇盜**廣德元年、吐蕃陷松維保三城及雲山新築二城、于是劍南西山諸州、亦入于吐蕃。**後主**按、吳曾漫錄、蜀先主廟在成都錦官城外、西挾卽武侯祠、東挾卽後主祠。**梁甫吟**史記注、梁甫、泰山下小山。西溪叢話、藝文類聚載諸葛亮作梁甫吟、不知何義。張衡四愁詩、欲往從之梁甫艱。註、言人君有德則封泰山。泰山喻人君、梁甫喻小人也。諸葛好爲梁甫吟、恐取此意。按、杜詩本注、以後主比天子、無理之甚。梁甫吟句兼對嚴公、蓋以諸葛勳名望之也。按、錢箋云、代宗任程元振魚朝恩、致蒙塵之禍、故以後主之任黃皓比之。

宿府

本註、時在嚴武幕中。

清秋幕府井梧寒、獨宿江城蠟炬殘。讀二句、上五字略頓、神味倍永。永夜角聲悲自語、中庭月色好誰看。

風塵荏苒音書斷、關塞蕭條行路難。已忍伶俜十年事、強移棲息一枝安。

幕府漢書李廣傳、莫府省文書。注、莫府者、以軍幕爲義。古字通。軍旅無常居止、故以帳幕言之。**井梧**鴻書、世嘗言、金井梧桐飄、以葉上有黃圈文如井、故曰金井、非井欄也。**伶俜**寡婦賦、少伶俜而偏孤兮。**十年事**按、邵注、自祿山初反至此爲十年。

閣夜

二句十餘層。

歲暮陰陽催短景、天涯霜雪霽寒宵。五更鼓角聲悲壯、三峽星河影動搖。

野哭幾家聞戰伐、夷歌數處起漁樵。臥龍躍馬終黃土、人事音書漫寂寥。

賢愚同歸于盡、則寂寥何足計矣。

動搖天官書注、左旗九星、在河鼓左。右旗九星、在河鼓右。動搖則兵起。**夷歌**蜀都賦、陪以白狼、夷歌成章。**臥龍**蜀志、徐庶謂先主日、諸葛孔明臥龍也。　躍馬 蜀都賦、公孫躍馬而稱帝。注、後漢書曰、公孫述、字子陽、扶風人。王莽時爲導江卒正、更始立、述恃其地險衆附、遂自立爲天子。

詠懷古蹟 五首

自敘起爲五詩總貫。俞云、二句作詩本旨。下四句即庾自喻。

支離東北風塵際、飄泊西南天地閒。三峽樓臺淹日月、五溪衣服共雲山。羯胡事主終無賴、詞客哀時且未還。庾信平生最蕭瑟、暮年詩賦動江關。

東北　西南 公避祿山之亂、自東北而西南。謂從陷賊謁上鳳翔、旋棄官客秦。入蜀自乾元二年、至此已八年矣。因風塵故懷及先主武侯、因飄泊故懷及庾宋明妃、非泛詠古跡。　知五溪衣服 水經注、武陵有五溪、謂雄溪、樠溪、無溪、西溪、辰溪其一焉。夾溪悉是蠻左右所居、故謂五溪蠻也。注、宋書說、五溪曰雄溪、樠溪、西溪、潕溪、辰溪、無力溪二字。後漢書、武陵五溪蠻、皆槃瓠之後。槃瓠者、犬也、得高辛氏少女、生六男六女、織績木皮、染以草實、好五采衣服、裁製皆有尾形。浦註、五溪在湖廣辰州界、正在夔南。　庾信　蕭瑟 庾信傳、信在周雖位望通顯、常有鄉關之思、乃作哀江南賦。其辭曰、信年始二毛、即逢喪亂、狼狽流離、至於暮齒。燕歌遠別、悲不自勝、楚老相逢、泣將何及。又云、將軍一去、大樹飄零。壯士不還、寒風蕭瑟。

亦字承庾信來、有嶺斷雲連之妙。流水對一往情深。意在言外。

搖落深知宋玉悲、風流儒雅亦吾師。悵望千秋一灑淚、蕭條異代不同時。江山故宅空文藻、雲雨荒臺豈夢思。最是楚宮俱泯滅、舟人指點到今疑。

搖落 宋玉九辨、悲哉、秋之爲氣也、蕭瑟兮草木搖落而變衰。按、玉言此、本懷亡國之憂也。　故宅 趙曰、歸州荊州、皆有宋玉宅。此當指在歸州者。

雲雨　宋玉高唐賦、昔先王嘗遊高唐、夢見一婦人曰、妾巫山之女也。王因幸之。去而辭曰、妾在巫山之陽、高丘之岨、旦爲行雲、暮爲行雨、朝朝暮暮、陽臺之下。旦朝視之、如言、故爲立廟、號曰朝雲。漢書註、宋玉此賦、蓋假設其事、諷諫淫惑也。

羣山萬壑赴荊門、生長明妃尚有村。一去紫臺連朔漠、獨留青冢向黃昏。畫圖省識春風面、環珮空歸月夜魂。千載琵琶作胡語、分明怨恨曲中論。

山水鍾靈、生此尤物。　生歸異域。　死葬胡沙。

肯與否、未可知。歸與否、未可必。惟琵琶一曲、千載流傳、得悉其怨恨耳。

明妃村　一統志、昭君村在荊州府歸州東北四十里。漢書注、昭君、本蜀郡秭歸人也。　紫臺　江淹恨賦、若夫明妃去時、仰天太息、紫臺稍遠、關山無極。注、紫臺、漢宮名。　畫圖　琴操、王昭君名嬙、齊國王襄之女也。年十七入元帝宮、會單于遣使請一女子、帝謂後宮誰肯行者、昭君喟然而起、遂以賜單于。西京雜記、元帝後宮既多、使畫工畫形、按圖召幸、宮人皆賂畫工、昭君不與、乃惡圖之。後匈奴求美人爲閼氏、以昭君行、及見、貌第一。帝按其事、畫工毛延壽棄市。　琵琶　石崇王明君辭、王明君者、本是王昭君、以觸文帝諱改之。昔公主嫁烏孫、令琵琶馬上作樂、以慰其道路之思、其送明君亦必爾也。琴操、昭君作怨思之歌、後人名爲昭君怨。

蜀主窺吳幸三峽、崩年亦在永安宮。翠華想像空山裏、玉殿虛無野寺中。古廟杉松巢水鶴、歲時伏臘走村翁。武侯祠屋常鄰近、一體君臣祭祀同。

永安宮　蜀志、先主忿孫權之襲關羽、遂帥諸軍伐吳、次秭歸。章武二年、敗於猇亭、由步道還魚復、改魚復爲永安。三年四月、先主殂於永安宮。寰宇記、宮在州西七里。　玉殿　原註、殿今爲臥龍寺、廟在宮東。　巢水鶴　抱朴子、千歲之鶴、隨時而鳴、能登於木。其未千歲者、終不能集於樹上。春秋繁露、鶴知夜半。注、鶴、水鳥也、夜半水位感其生氣、則益喜而鳴。**武侯祠**寰宇記、武侯祠在先主廟西。

諸葛大名垂宇宙、宗臣遺像肅清高。三分割據紆籌策、萬古雲霄一羽毛。其時事已不可爲、其人則高不可及。

伯仲之間見伊呂、指揮若定失蕭曹。當於伊呂間求之、蕭曹不足道也。申三分句。申萬古句。運移漢祚終難復、志決身殲軍務勞。

宗臣蜀志本傳注、張儼曰、一國之宗臣、霸主之賢佐。伯仲魏文典論、傅毅之於班固、伯仲之間耳。伊呂彭羕與諸葛亮書、足下乃當今伊呂。注、伊尹、呂尚也。指揮陳平傳、誠能去兩短、集兩長、天下指揮即定矣。蕭曹漢書贊、蕭何曹參爲一代宗臣。高祖開基、蕭曹爲冠。丙軍務勞魏氏春秋、亮使至、宣王問其寢食及其事之煩簡、使對曰、諸葛公夙興夜寐、罰二十以上皆親覽焉、所噉食不及數升。宣王曰、亮將死矣。

劉長卿

江州重別薛六柳八二員外

生涯豈料承優詔、世事空知學醉歌。江上月明胡雁過、聞。淮南木落楚山多。見。

寄身且喜滄洲近、顧影無如白髮何。今日龍鍾人共老、媿君猶遣慎風波。

龍鍾廣韵、龍鍾、竹名。年老者如竹、枝葉搖曳、不自禁持。

長沙過賈誼宅

三年謫宦此棲遲、萬古惟留楚客悲。秋草獨尋人去後、俯。寒林空見日斜時。仰。

漢文有道（賈誼。）恩猶薄、湘水（長沙。）無情弔豈知。寂寂江山搖落處、憐君何事到天涯。（憐賈正以自憐。）

賈誼宅　一統志、賈誼宅在長沙府濯錦坊。

自夏口至鸚鵡洲望岳陽寄元中丞　唐詩別裁作阮中丞。

汀洲無浪復無煙、楚客相思益渺然。（聞。見。）漢口夕陽斜渡鳥、洞庭秋水遠連天。（夏口至洲。岳陽。）孤城背嶺寒吹角、獨樹臨江夜泊船。賈誼上書憂漢室、長沙謫去古今憐。（寄元。）

夏口　一統志、夏口在武昌府荊江之中、正對沔口。本在江北、自孫權取對岸名夏口、而江北之名始晦。唐稱鄂州爲夏口。　漢口　一統志、漢口在漢陽府大別山北。　獨樹　何遜詩、天邊看獨樹。

錢起

贈闕下裴舍人

二月黃鸝飛上林、春城紫禁曉陰陰。（句句從闕下生情。）長樂鐘聲花外盡、龍池柳色雨中深。（聞。見。）陽和不散窮途恨、霄漢常懸捧日心。（時。地。）獻賦十年猶未遇、羞將白髮對華簪。（贈裴。）

紫禁　謝莊宣貴妃誄、收華紫禁。注、王者之宮以象紫微、故謂宮中爲紫禁。呂注、紫禁卽紫宮、天子所居也。　長樂　三輔黃圖、長樂宮本秦之興慶宮也、高皇帝始居櫟陽、七年、長樂宮成、徙居長安城。　龍池　沈佺期龍池篇、龍池躍龍龍已飛。按、明皇為諸王時、故宅在隆慶坊、宅有井、井溢成池。中宗時、數有雲龍之祥、後引龍首堰水注池中、池面遂益廣、卽龍池也。陽和時在中春、陽和方起。霄漢謝靈運詩、結念屬霄漢。玉篇、霄、雲氣也。捧日魏書、程昱少時、常夢見兩手捧日、私異之、以語荀彧、或以白太祖、太祖曰、卿當終爲吾腹心。昱本名立、太祖乃加其上日、更名昱。獻賦東觀漢紀、班固讀書禁中、每行巡、輒獻賦頌。

韋應物

寄李儋元錫

去年花裏逢君別、今日花開又一年。世事茫茫難自料、春愁黯黯獨成眠。身多疾病思田里、邑有流亡愧俸錢。范文正歎爲仁人之言。聞道欲來相問訊、西樓望月幾回圓。

韓　翃

同題仙遊觀

仙臺初見五城樓、風物淒淒宿雨收。山色遙連秦樹晚、砧聲近報漢宮秋。見。聞。疎松影落空壇靜、高處。細草香生小洞幽。低處。何用別尋方外去、人間亦自有丹丘。

五城史記、方士有言、黃帝時、爲五城十二樓以候神人。方外莊子、子桑戶孟子反子琴張三人相與友、子桑戶死、孔子聞之、使子貢往待事焉。或編歌、或鼓琴、相和而歌。子貢反以告孔子曰、彼何人者耶。孔子曰、彼遊方之外者也、而某游方之內者也。丹邱拾遺記、有丹邱千年一燒、黃河千年一清、至聖之君、以爲大瑞。楚辭、仍羽人於丹丘。注、丹丘、常明之處也。

皇甫冉

一字茂政、丹陽人。十歲能詩文、天寶中成進士第一。官無錫尉、左金吾兵曹。大曆中遷右補闕。

春思

鶯啼燕語報新年、春。馬邑龍堆路幾千。思。家住層城鄰漢苑、心隨明月到胡天。機中錦字論長恨、樓上花枝笑獨眠。爲問元戎竇車騎、何時返旆勒燕然。

馬邑 搜神記、秦築長城于武川塞、有馬馳走其地、依以築城、因名馬邑。 龍堆 漢書西域傳、樓蘭最在東陲、近漢、當白龍堆。乏水草、嘗主發導、負水儋糧、送迎漢使。 層城 水經注、崑崙之山三級、下曰樊桐、一名板松、二曰玄圃、一名閬風、上曰層城、一名天庭。是謂太帝之居。 錦字 晉書、竇滔妻蘇氏、善屬文。苻堅時、滔爲秦州刺史、被徙流沙。蘇氏思之、織錦爲迴文詩寄滔、循環宛轉以讀之、詞甚悽切。

盧綸

晚次鄂州

雲開遠見漢陽城、猶是孤帆一日程。見。估客晝眠知浪靜、舟人夜語覺潮生。聞。三湘愁鬢逢秋色、萬里歸心對月明。舊業已隨征戰盡、更堪江上鼓鼙聲。

鄂州 一統志、湖廣武昌府、楚熊渠封其子紅爲鄂王、置武昌府、隋置鄂州、唐因之。 估客 梁元帝詩、莫復臨時不寄人、漫道江中無估客。按、估、市估也。

柳宗元

登柳州城樓寄漳汀封連四州刺史

城上高樓接大荒、（陸。）海天愁思正茫茫。（水。）驚風亂颭芙蓉水、（水。）密雨斜侵薜荔牆。（陸。）（二句近景。）

嶺樹重遮千里目、（陸。）江流曲似九迴腸。（水。）（二句遠景。）共來百粵文身地、猶自音書滯一鄉。（寄四刺史。）

四州刺史（本集注、公與韓泰、韓曄、劉禹錫、陳諫、凌準、程异、韋執誼皆貶、號八司馬。凌準執誼皆卒貶所、异先用、餘四人與公皆例召至京師、又皆出爲刺史、公爲柳州、泰爲漳州、曄爲汀州、禹錫爲連州、諫爲封州。）颭（說文、颭、音戰、風吹浪動也。）芙蓉水（梁簡文帝詩、日暮芙蓉水。）薜荔（楚辭注、薜荔、香草、緣木而生。）迴腸（史遷書、腸一日而九迴。）百粵（漢書高帝紀、粵人之俗、好相攻擊。前時、秦徙中縣之民、使與百粵雜處。）文身（史記、太伯虞仲、知古公欲立季歷以傳昌、乃二人亡如荊蠻、文身斷髮、以讓季歷。正義、應劭曰、文身、象龍子、故不見害。）

劉禹錫

西塞山懷古

王濬樓船下益州、金陵王氣黯然收。千尋鐵鎖沉江底、一片降旛出石頭。（從懷古直起。）

人世幾回傷往事、山形依舊枕寒流。（西塞山。）從今四海爲家日、故壘蕭蕭蘆荻秋。

西塞山（廣輿記、山在武昌府大冶縣、孫策擊黃祖於此。）王濬樓船（晉咸寧五年、帝大舉伐吳、遣龍驤將軍王濬等下巴蜀。吳人于江磧要害之處、並以鐵鎖橫截之、又作鐵錐長丈餘、暗置江中以逆拒舟艦。濬作大筏數十、方百餘步、縛草爲人、被甲持仗、令善水者以筏先行、遇鐵錐、錐着筏而去。又作大炬、長十餘丈、大數十圍、灌以麻油、在船前、遇鐵、然炬燒之、須臾融液斷絕、船無所礙。吳督孫歆懼曰、北來諸君、乃飛渡江也。王濬自武昌順流徑趨建業、戎卒八萬、方舟百里、鼓譟入于石頭、吳主皓面縛輿櫬詣軍門降。**益州**一統志、成都、漢曰益州。**金陵王氣**建康實錄、秦始皇東巡、望氣云、五百年後、金陵有天子氣。因鑿鍾阜、斷金陵長隴以流、至今呼爲秦淮。**石頭**元和郡國志、石頭城在并州上元縣西、即楚之金陵城也。吳改爲石頭城。

元稹

唐韻、稹、音軫、叢緻也、又聚物也。元稹、字微之、河南人。元和初對策第一、官左拾遺、後忤中人仇士良、擊稹敗面、貶江陵士曹參軍、久乃徙虢州長史。長慶初、監軍崔潭峻方親幸、以稹歌辭進、帝大悅、擢祠部郎中知制誥、俄遷中書舍人翰林學士、旋進同中書門下平章事。始忤中人、繼以依中人進、朝論鄙之、又連次欲傾裴度、蓋兩截人也。太和中爲武昌節度使、卒。唐書、稹長于詩、與白居易名相埒、天下傳諷、號元和體、往往播樂府。穆宗在東宮、妃嬪近習皆誦之、宮中呼爲元才子。

遣悲懷 三首

古今悼亡詩充棟、終無能出此三首範圍者、勿以淺近忽之。

謝公最小偏憐女、自嫁黔婁百事乖。顧我無衣搜藎篋、泥他沽酒拔金釵。
野蔬充膳甘長藿、落葉添薪仰古槐。今日俸錢過十萬、與君營奠復營齋。

謝女晉書、謝安最憐少女道韞、後嫁王凝之。按、元稹前妻韋蕙叢、既賢且美、稹未仕而韋氏卒、此以謝女比韋氏也。**黔婁**高士傳、黔婁、齊人也、修身清潔、以壽終。陶潛詩、安貧守賤者、自古有黔婁。**無衣**古詩、遊子寒無衣。**藎**音燼、本草、一名黃草、一名盭草、可染黃。**泥**泥、乃計切、柔言索物曰泥、諺所謂軟纏也。

昔日戲言身後意、今朝都到眼前來。衣裳已施行看盡、鍼線猶存未忍開。尚想舊情憐婢僕、也曾因夢送錢財。誠知此恨人人有、貧賤夫妻百事哀。

施音賞是切、詩上聲、捨也、改易也、通弛。

閑坐悲君亦自悲、百年多是幾多時。鄧攸無子尋知命、潘岳悼亡猶費詞。同穴窅冥何所望、他生緣會更難期。唯將終夜長開眼、報答平生未展眉。

鄧攸無子 晉書鄧攸傳、攸、字伯道、爲河東太守。永嘉末、沒于石勒、勒過泗水、攸乃以牛馬負妻子而逃、遇賊掠其牛馬、步走擔其兒及其弟子、綏度不能兩全、乃謂其妻曰、吾弟早亡、唯有一息、理不可絶、止應自棄我兒耳。妻泣而從之、乃棄之而去、卒以無嗣。時人義而哀之、爲之語曰、天道無知、使伯道無兒。潘岳悼亡 岳、字安仁、滎陽中牟人。總角辨慧、摛藻清豔、鄉邑稱爲奇童。弱冠辟司空太尉府、舉秀才、高步一時、爲衆所疾。按、潘岳有悼亡詩三首。風俗通、愼終悼亡。同穴 詩、穀則異室、死則同穴。

白居易

自河南經亂關內阻饑兄弟離散各在一處因望月有感聊書所懷寄上浮梁大兄於潛七兄烏江十五兄兼示符離及下邽弟妹

時難年荒世業空、弟兄羇旅各西東。田園寥落干戈後、骨肉流離道路中。弔影分爲千里雁、辭根散作九秋蓬。共看明月應垂淚、一夜鄉心五處同。

一氣貫注、八句如一句、與少陵聞官軍作同一格律。

關內 西安府秦曰關中、唐曰關內。 於潛 於潛縣在浙江杭州府。 烏江 史記項羽本紀、項王乃欲東渡烏江。注、在牛渚。括地志、烏江亭即和州烏江縣是也。 符離 漢書地理志、沛郡有符離縣。 下邽 在西安渭南縣。按、漢爲下邽蓮勺二縣。 秋蓬 說文、蓬、蒿也。埤雅、蓬草之不理者、葉散生、遇風輒拔而旋。淮南子、聖人見飛蓬轉而知爲車。司馬彪詩、秋蓬獨何辜、飄飄隨風轉。

李商隱

錦瑟

義山悼亡之作、集中屢見、此亦是也。

錦瑟無端五十絃、悲。一絃一柱思華年。歡。莊生曉夢迷蝴蝶、合。望帝春心託杜鵑。離。
滄海月明珠有淚、藍田日暖玉生煙。此情可待成追憶、只是當時已惘然。

生前相聚、漫不經心、日後追思、覺當時已惘然。

錦瑟 周禮樂器圖、雅瑟二十三絃、頌瑟二十五絃、飾以寶玉者曰寶瑟、繪文如錦曰錦瑟。漢書郊祀志、泰帝使素女鼓五十絃瑟、悲、帝禁不止、故破其瑟爲二十五絃。按、湘素雜記謂、古今樂府有錦瑟、其聲適怨清和。以此詩中間四句分配爲蘇黃問答之詞。又劉貢父謂、錦瑟、乃當時貴人愛姬之名。唐詩紀事以爲令狐楚家之青衣名錦瑟。其說皆非。謂爲悼亡、乃定論也。 五十絃 按、或謂此詩以二十五絃爲五十絃、取斷絃之義。 一絃一柱 按、肆園居士注、楊曰、五十絃、五十柱、合之得百數、思華年者、猶云百歲偕老也。 莊生蝴蝶 莊子、莊周夢爲蝴蝶、栩栩然蝴蝶也。自喻適志歟、不知周也。俄而覺、則蘧蘧然周也。

不知周之夢爲蝴蝶歟、蝴蝶之夢爲周歟、周與蝴蝶、則必有分矣。此之謂物化。　月明珠淚　文選注、月滿則珠全、月虧則珠闕。博物志、南海外有鮫人、水居如魚、不廢績織、其眼泣則能出珠。　藍田玉　長安志、藍田在長安縣東南三十里、其山產玉、亦名玉山。搜神記、楊公雍伯家於終山、有人與石子一斗令種之。其時往視、見玉生石上、人莫知也。北平徐氏有女、公試求之、要以白璧一雙、伯至玉田求得五雙、徐氏遂以女妻之。

無題

昨夜星辰昨夜風、（其時。）畫樓西畔桂堂東。（其地。）身無綵鳳雙飛翼、（形相隔。）心有靈犀一點通。（心相通。）隔座送鉤春酒暖、（此樓西堂東、相遇時之景。）分曹射覆蠟燈紅。嗟余聽鼓應官去、走馬蘭臺類轉蓬。

采鳳　山海經、丹穴山、鳥狀如鶴、五采而文、名曰鳳。　靈犀　南州異物志、犀有神異、表靈以角。抱朴子、通天犀角、有白理如線、置犀粟中、雞見輒驚、南人呼爲駭雞犀。漢、西域傳、通犀翠羽之珍。如淳曰、通犀、謂中央色白通兩頭。　送鉤　道源注、漢武故事、鉤弋夫人、少時手拳、帝披其手、得一玉鉤、手得展。故因爲藏鉤之戲、後人效之。別有酒鉤、當飲者以鉤引盃。　射覆　漢、東方朔傳、上嘗使諸數家射覆、置守宮盂下射之。注、于覆器之下置諸物、令暗射之、故云射覆。　聽鼓　唐書百官志、宮門局、宮門郎二人、掌宮門管鑰。凡夜漏盡、擊漏鼓而開、漏上水一刻、擊漏鼓而閉。　蘭臺　唐六典、漢御史中丞掌蘭臺祕書圖籍、故歷代建臺省祕書、與御史爲隣。杜氏通典、御史大夫所居之署、謂之憲臺、後漢以來、亦謂之蘭臺寺。　按、義山釋褐得祕書省校書郎、王茂元辟爲掌書記、得侍御史、故此用蘭臺事。

隋宮

紫泉宮殿鎖烟霞、欲取蕪城作帝家。玉璽不緣歸日角、錦帆應是到天涯。唐不受命、巡幸當無極也。

於今腐草無螢火、低處。終古垂楊有暮鴉。高處。地下若逢陳後主、豈宜重問後庭花。

紫泉 上林賦、紫淵徑其北。按、唐人避高祖諱改淵作泉。文穎曰、西河穀羅縣有紫澤、長安在其北。蕪城 鮑照蕪城賦注、宋孝武時、照爲臨海王子頊參軍、隨至廣陵。子頊叛逆、照見廣陵故城荒蕪、乃漢吳王濞所都、照以子頊事同于濞、遂爲賦以諷之。按、蕪城、卽古邗溝城。隋書、大業元年、發民十萬開邗溝入江。自長安至江都、置離宮四十餘所。玉璽 獨斷、璽者印也。天子璽以玉螭虎鈕、古者尊卑共之、自秦以來、天子獨以印稱璽、又獨以玉、羣臣莫敢用也。按、秦始皇得藍田之玉、命其相李斯篆曰、受命于天、既受永昌。自此專名璽。漢高祖入咸陽得秦璽、世世相授、號傳國璽。日角 鄭玄尚書注、日角、謂中庭骨起狀如日。舊唐書、太宗年四歲、有書生相之曰、龍鳳之姿、天日之表。錦帆 開河記、煬帝御龍舟幸江都、舳艫相繼、錦帆過處、香聞十里。螢火 隋書、大業末、天下已盜起、帝于景華宮徵求螢火數斛、夜出遊山、放之、光照山谷。垂楊 隋書、煬帝自板渚引河作街道、植以楊柳、名曰隋堤、一千三百里。陳後主 隋遺錄、煬帝在江都、昏湎滋深、嘗遊吳公宅雞臺、恍惚與陳後主相遇、尚喚帝爲殿下。後主舞女數十、中一人迥美、帝屢目之、後主云、卽麗華也。乃以海蠡酌紅梁新醞勸帝、帝飲之、甚歡、因請麗華舞玉樹後庭花、麗華徐起、終一曲。後主問帝、蕭妃何如此人。帝曰、春蘭秋菊、各一時之秀也。

無題

來是空言去絕蹤、月斜樓上五更鐘。夢爲遠別啼難喚、書被催成墨未濃。

蠟照半籠金翡翠、燈猶可見。麝薰微度繡芙蓉。香猶可聞。劉郎已恨蓬山遠、更隔蓬山一萬重。而其人則已遠矣。

金翡翠 江淹翡翠賦、糅紫金而爲色。劉遵詩、金屏障翡翠。 劉郎 漢武內傳、武帝封禪、其後十二年而還、徧於五岳四瀆矣、而方士之候伺神人入海求蓬萊。終無有驗。又、西王母曰、劉徹好道、然形慢神穢、雖語之以至道、恐非仙才也。

颯颯東風細雨來、芙蓉塘外有輕雷。幸而合。不幸終不合。金蟾齧鏁燒香入、玉虎牽絲汲井迴。鏁雖固、香猶可入、井雖深、汲猶可出。其同歸于盡則一也。賈氏窺簾韓掾少、宓妃留枕魏王才。春心莫共花爭發、一寸相思一寸灰。

颯 音歡、說文、風也。又、風聲。宋玉風賦、有風颯然而至。 金蟾 道源注、蟾善閉氣、古人用以飾鏁。 玉虎 玉虎、謂轆轤也。是井欄之飾、或以施汲器者。絲、井索也。 賈氏 世說、韓壽美姿容、賈充辟以爲掾、賈女于青瑣中見壽、悅之。與之通。充秘之。以女妻壽。 宓妃 洛神賦序、黃初三年、予朝京師、還濟洛川、古人有言斯水之神、名曰宓妃。注、宓妃宓犧氏之女、溺洛水爲神。又曰、魏東阿王求甄逸女不遂、太祖回、與五官中郎將、植殊不平。黃初中入朝、帝示甄后玉鏤金帶枕、植見之、不覺泣下、時已爲郭后讒死。帝意尋悟、以枕賚植。植還、將息洛水上、忽見女子來、自言我本託心君王、其心不遂、此枕是我嫁時物、前與五官中郎將、今與君王、遂用薦枕席、歡情交集。又云、豈不欲常相見、但爲郭后以糠塞口、今披髮掩面、羞將此形貌重睹君王耳。言訖不見。王悲喜不自勝、遂作感甄賦。後明帝見之、改爲洛神賦。

籌筆驛

魚鳥猶疑畏簡書、能動物。風雲常爲護儲胥。能感神。徒令上將揮神筆、終見降王走傳車。不能保暗主之不失國。管樂有才眞不忝、關張無命欲何如。他年錦里經祠廟、梁父吟成恨有餘。

籌筆驛 方輿勝覽、籌筆驛在綿州綿谷縣北九十九里、蜀諸葛武侯出師、嘗駐軍籌畫於此。 簡書 詩、豈不懷歸、畏此簡書。 儲胥 長楊賦、木擁槍纍以爲儲胥。註、以木擁柵其外、又以竹槍纍爲外儲。按、范寶詩眼、簡書軍中約束。儲胥、軍中藩籬也。 降王 蜀志、鄧艾破蜀、後主銜璧輿櫬降、遂送洛陽。 傳車 史記田橫傳、高帝赦齊王田橫罪、田橫迺乘傳詣洛陽。漢書注、傳、若今之驛。古者以車謂之傳車、後人單置馬、謂之傳驛。 關張無命 蜀志、楊戲傳、關張赳赳、隕身匡國。

無題

相見時難別亦難、東風無力百花殘。春蠶到死絲方盡、蠟炬成灰淚始乾。一息尙存、志不少懈、可以言情、可以喩道。曉鏡但愁雲鬢改、見。夜吟應覺月光寒。聞。蓬山此去無多路、青鳥殷勤爲探看。

蠟淚 庾信對燭賦、銅荷承蠟淚、鐵鋏染浮煙。

春雨

悵臥新春白袷衣、白門寥落意多違。紅樓隔雨相望冷、珠箔飄燈獨自歸。二句十層。遠路應悲春晼晚、殘宵猶得夢依稀。玉璫緘札何由達、萬里雲羅一雁飛。

袷 音夾、衣袷無絮也。 白門 唐書地理志、武德九年、更金陵曰白下。按、白下故城在上元縣西北。張衡賦、蹶白門而東馳兮。李白詩、驛亭三楊柳、正當白下門。南史、建康宣陽門、謂之白門。 晼晚 晼、音宛、明久也。景映也。楚辭、哀時命、白日晼晚其將入兮。 玉璫緘札 風俗通、耳珠曰璫。玉璫緘札、猶今所謂脩緘。釋名、穿耳施珠曰璫。

無題

鳳尾香羅薄幾重、碧文圓頂夜深縫。扇裁月魄羞難掩、車走雷聲語未通。明明可見。却不可接。

曾是寂寥金燼暗、斷無消息石榴紅。斑騅只繫垂楊岸、何處西南待好風。豈其事終不諧耶。

鳳羅黃庭內景經、盟以金簡鳳文之羅四十尺。按、金史、百官志、官誥二品、翔鳳標金鳳羅十六副。碧文圓頂按、程泰之演繁露、唐人昏禮多用百子帳、捲柳爲圈以相連瑣、百開百闔、大抵如今尖頂圓亭子、而用青氈通冒四隅上下、以便移置、義山殆指此。見本集注。扇裁月魄班婕妤怨歌行、新裂齊紈素、皎潔如霜雪。裁成合歡扇、團團似明月。春秋繁露、而月之魄常厭于日光。書、惟三月哉生魄。傳、始生魄。月十六日明消而魄生。按、哉、始也。魄、月之質也。朔後魄死明生、曰哉生明。望後明死魄生、曰哉生魄。車走雷聲司馬相如長門賦、雷隱隱而響起兮、聲象君之車音。石榴梁書、扶南國南界頓遜國、有樹似安石榴、采其花汁停甕中、數日成酒。見本集注。斑騅說文、騅、馬蒼黑雜色。一曰蒼白色。陳樂府明下童曲、陳孔驕赭白、陸郎乘斑騅。按、陳暄、孔範、陸瑜、皆後主狎客。

重幃深下莫愁堂、臥後清宵細細長。神女生涯元是夢、小姑居處本無郎。大徹大悟。

風波不信菱枝弱、月露誰教桂葉香。直道相思了無益、未妨惆悵是清狂。風波只是相侵。眞香固自難掩。明知無益、而惆悵不已、直清狂本應耳。

莫愁堂梁武帝歌、河中之水向東流、洛陽女兒名莫愁。莫愁十三能織綺、十四采桑南陌頭、十五嫁爲盧家婦、十六生兒字阿侯。盧家蘭室桂爲梁、中有鬱金蘇合香。神女襄陽耆舊傳、赤帝女曰瑤姬、未行而卒、葬于巫山之陽。楚懷王遊于高唐、晝寢、夢與神遇、自稱巫山之女、遂爲置館、號曰朝雲。宋玉有神女賦。小姑古樂府、青溪小姑曲、開門白水、側近橋梁。小姑所居、獨處無郎。按、異苑、小姑、蔣侯第三妹也。

溫庭筠

利州南渡

澹然空水水中。帶斜暉、曲島蒼茫岸上。接翠微。波上馬嘶水中。看棹去、柳邊人歇岸上。待船歸。數叢沙草羣鷗散、萬頃江田一鷺飛。誰解乘舟尋范蠡、五湖煙水獨忘機。

利州嶺會、巴蜀地、晉西益州、梁改利州。唐、地理志、隋義城郡、武德八年改爲利州。范蠡吳越春秋、范蠡既佐越滅吳、遂辭於王、乘扁舟出入三江五湖、人莫知其所適。

蘇武廟

蘇武魂銷漢使前、古祠高樹兩茫然。雲邊雁斷擡頭看。胡天月、隴上羊歸低頭看。塞草煙。迴日歸日。樓臺非甲帳、去時去日。冠劍是丁年。茂陵不見封侯印、空向秋波哭逝川。

蘇武漢書蘇武傳、武帝遣武以中郎將、使持節送匈奴使留在漢者。單于欲降之、迺幽武至大窖中、絕不飲食。天雨雪、武臥齧雪、與旃毛并吞之、數日不死。匈奴以爲神。徙武北海上無人處、使牧羝。羝乳乃得歸、武仗漢節牧羊、臥起操持、節旄盡落。武留匈奴凡十九歲。注、羝、牡羊也。羝不當乳、故說此言不絕其事。

甲帳漢書西域傳贊、孝武之世、興造甲乙之帳。注、其數非一、以甲乙次第名之也。漢武故事、以琉璃珠玉、明月夜光、錯雜天下珍寶爲甲帳、其次爲乙帳。甲以居神、乙以自居。丁年李陵答蘇武書、丁年奉使、皓首而歸。

薛逢

字陶臣、蒲州人。會昌初擢進士第、崔鉉入相、引直宏文館、歷侍御史。持論鯁切、以謀略高自標顯。有薦逢知制誥者、會劉瑑當國、忌之、乃出爲巴州刺史、復斥蓬縣二州刺史、稍遷祕書監。卒。

宮詞

十二樓中盡曉妝、容顏之美。望仙樓上望君王。鎖銜金獸人靜。連環冷、水滴銅龍晝漏長。日長。
雲髻罷梳還對鏡、羅衣欲換更添香。妝飾之華。遙窺正殿簾開處、袍袴宮人掃御牀。反不及宮人之得近君王也。

望仙樓唐書武宗紀、會昌五年作望仙樓于神策軍。銅龍尺、按、初學記、殿夔漏刻法、爲器三重、圓皆徑差立於水輿踟躕之上、爲金龍口吐水、轉注入踟躕經緯之中、流於衡渠之下。

秦韜玉

字仲明、京兆人。爲田令孜神策判官、中和二年得準敕及第、擢工部侍郎。

貧女

蓬門未識綺羅香、擬托良媒亦自傷。誰愛風流高格調、共憐時世儉梳妝。
敢將十指誇鍼巧、不把雙眉鬥畫長。苦恨年年壓金線、爲他人作嫁衣裳。

儉妝 郝注、唐文宗下詔、禁高髻、儉妝、去眉開額。 眉長 古今注、魏宮人好畫長眉。

樂府

沈佺期

獨不見

盧家小婦鬱金堂、海燕雙棲玳瑁梁。九月寒砧催下葉、十年征戍憶遼陽。白狼河北音書斷、承十年句。丹鳳城南秋夜長。承九月句。誰知含愁獨不見、使妾明月照流黃。

獨不見 樂府解題、獨不見、傷思而不得見也。按、此題諸本多作古意、今從郭茂倩樂府本改正。又、少婦作小婦、鬱金香作鬱金堂、木葉作下葉、誰爲作誰知、更教作使妾、俱從茂倩本。凡樂府字句有與別本異者、皆從茂倩本故也。 玳瑁梁 沈約詩、九華玳瑁梁。 遼陽 漢書地理志、遼東郡有遼陽縣。 白狼河 水經注、遼水又會白狼水、水出右北平。 流黃 古樂府、相逢行、大婦織綺羅、中婦織流黃。梁簡文帝詩、思婦流黃素、溫姬玉鏡臺。羊勝屏風賦、飾以文錦、映以流黃。 注、流黃、間色素也。

唐詩三百首補註卷七

五言絕句

始漢魏樂府、如白頭吟、出塞曲、桃葉歌等篇、皆其體也。六朝述作漸煩、入唐尤甚。

王　維

鹿柴

空山不見人、但聞人語響。返影入深林、復照青苔上。

鹿柴 輞川集幷序、余別業在輞川山谷、其遊止有孟城坳、華子岡、文杏館、斤竹嶺、鹿柴、木蘭柴、茱萸沜、宮槐陌、臨湖亭、南垞、欹湖、柳浪、欒家瀨、金屑泉、白石灘、北垞、竹里館、辛夷塢、漆園、椒園等、與裴廸閒暇各賦絕句云爾。按、柴、上邁切、本作砦、籬落也。按、廣韻、砦、羊棲宿處。鹿柴、蓋鹿所宿處也、故裴廸同詠詩云、但有麏麚跡。 返影 四時纂要、日西落、光返照于東、謂之返影。

竹里館

獨坐幽篁裏、彈琴復長嘯。深林人不知、明月來相照。

幽篁 楚辭、余處幽篁兮終不見天。注、幽篁、竹林也。呂向注、幽、深也。篁、竹叢也。 長嘯 詩、其嘯也歌。箋、嘯、蹙口而出聲。楚辭、臨深淵而長嘯。

送別

山中相送罷、日暮掩柴扉。春草年年綠、王孫歸不歸。

相思

紅豆生南國、春來發幾枝。願君多采擷、此物最相思。

紅豆　資暇錄、豆有圓而紅、其首烏者、舉世呼爲相思子、即紅豆之異名也。其樹大株而白枝、葉似槐、其花與皂莢花無殊、其子若稨豆處於莢中、通身皆紅。李善云、其實赤如珊瑚是也。本草、相思子、一名紅豆。按、稨、與編同、音邊、籬上豆。

雜詩

君自故鄉來、應知故鄉事。來日綺窗前、寒梅著花未。

裴廸　唐詩紀事、裴廸初與王維、崔興宗俱居終南。天寶後爲蜀州刺史。與杜甫交善。唐詩品彙、裴廸、關中人。

送崔九

歸山深淺去、須盡丘壑美。莫學武陵人、暫遊桃源裏。

祖詠

終南望餘雪

終南陰嶺秀、積雪浮雲端。林表明霽色、城中增暮寒。

孟浩然

宿建德江

移舟泊煙渚、日暮客愁新。野曠天低樹、江清月近人。十字十層、咀詠不盡。

建德江一統志、嚴州府建德縣有新安江。又、有東陽江。

春曉

春眠不覺曉、處處聞啼鳥。夜來風雨聲、花落知多少。

李白

夜思

牀前明月光、疑是地上霜。舉頭望明月、低頭思故鄉。

怨情

美人捲珠簾、深坐顰蛾眉。但見淚痕溼、不知心恨誰。

珠簾拾遺記、越貢一美人於吳、吳處以椒華之房、貫細珠爲簾幌、朝下以蔽景、夕捲以待月。

杜甫

八陣圖

功蓋三分國、名成八陣圖。江流石不轉、遺恨失吞吳。

三分國 出師表、今天下三分。 八陣圖 東坡志林、諸葛亮於魚復平沙之上、壘石爲八行、相去二丈、自山上俯視、八行爲六十四蕝、蕝正圜不見凹凸處、及就視、皆卵石、漫漫不可辨。劉禹錫嘉話錄、三蜀雪消之際、澒湧滉瀁、大木十圍、隨波而下、水落川平、萬物皆失故態。諸葛亮小石之堆、行列依然、迨今不動。本集注、陣勢八、天、地、風、雲、龍、虎、鳥、蛇也。按、成都經、八陣有三、在夔者六十有四、方陣法也、在彌牟鎮者二十有八、當頭陣法也、在棋盤市者二百五十有六、下營陣法也。 失吞吳 東坡志林、僕嘗夢見人云、是杜子美、世人誤會於八陣圖謂恨不能滅吳、非也、我謂吳蜀脣齒、不當相圖、晉之取蜀、以蜀有吞吳之意、此爲恨耳。此理甚長。錢云、先主征吳敗績、還至魚復、孔明嘆曰、法孝直若在、必能制上之東行、不至傾危矣。杜詩云亦如此、世傳子瞻云云、坡無此言、纖兒僞託耳。

王之渙 并州人、兄之咸之賁皆能詩。之渙與王昌齡高適倡和、名重於時。

登鸛雀樓

二十字氣象萬千。

白日依山盡、黃河入海流。欲窮千里目、更上一層樓。

鸛雀樓 唐詩解注、一統志、鸛鵲樓、在平陽府蒲州城上、雀鵲聲相近、疑傳寫之誤。按、三體詩、鸛雀樓、在河中府、前瞻中條、下瞰大河。

劉長卿

送靈澈

蒼蒼竹林寺、杳杳鐘聲晚。荷笠帶斜陽、青山獨歸遠。

靈澈　唐詩紀事、靈澈生於會稽、本湯氏、字澄源、與吳興詩僧皎然遊、皎然薦之包佶、李紓、以是上人之名由二公而颺。貞元中遊京師、緇流嫉之、造飛語激動中貴人、浸誣得罪、徙汀州、後歸會稽。元和十一年、終于宣州。

竹林寺　南史、黃鵠山北有竹林精舍。輿圖備攷、鎮江黃鶴山鶴林寺、舊名竹林寺。

彈琴

泠泠七絃上、靜聽松風寒。古調雖自愛、今人多不彈。

泠泠　湘中記、衡山有懸泉滴瀝巖間、泠泠如絃、有白鶴迴翔其上如舞。文賦、音泠泠以盈耳。

送上人

孤雲將野鶴、豈向人間住。莫買沃洲山、時人已知處。

即終南捷徑之意。

沃洲　雲笈七籤七十二福地、沃洲在越州剡溪縣南。一統志、沃洲山在紹興府新昌縣東三十五里、與天姥峯對峙。道書爲第十五福地。

韋應物

秋夜寄丘員外

懷君屬秋夜、散步詠涼天。空山松子落、幽人應未眠。

松子　列仙傳、偓佺以松子遺堯、堯不暇服也、時人服者、皆至二三百歲。

李端

聽箏

鳴箏金粟柱、素手玉房前。欲得周郎顧、時時誤拂絃。故以誤爲邀恩之地。

箏　風俗通、蒙恬造箏。音樂指歸、箏形如瑟、長六尺、以應六律、絃有十二、象十二時、柱高三寸、象三才。或曰十三絃。　金粟　按、本注、金粟柱、所以繫絃也。

素手　古詩、娥娥紅粉粧、纖纖出素手。　玉房　按、本注、所以安枕也。　周郎　三國志、周瑜、吳中呼爲周郎、少精音樂、雖三爵之後、有誤必知、時人謠曰、曲有誤、周郎顧。

王建

字仲初、潁川人。大曆十年進士、官渭南尉、歷祕書丞侍御史、太和中出爲陝州司馬、從軍塞上、數年後歸、卜居咸陽、與張籍友善、工爲樂府、故張王並名。

新嫁娘

三日入廚下、洗手作羹湯。未諳姑食性、先遣小姑嘗。

權德輿

字載之、略陽人。四歲能詩、第進士、德宗朝、歷官禮部侍郎、三典貢舉、憲宗即位、以尚書同平章事、貞元元和間爲縉紳羽儀、卒諡曰文。

玉臺體

滄浪詩話、玉臺體、玉臺集乃徐陵所序、漢魏六朝之詩皆有之、或者但謂纖豔者爲玉臺體、則不然。

昨夜裙帶解、今朝蟢子飛。鉛華不可棄、莫是藁砧歸。

裙帶解樂府、拾得娘裙帶、同心結兩頭。按、章雲仙唐詩註疏、裙帶解、主應夫歸之兆。蟢子詩、蠨蛸在戶。疏、蠨蛸、長踦、小蜘蛛長脚者俗呼爲蟢子。新論、今野人晝見蟢子者則以爲有喜樂之瑞。鉛華洛神賦、芳澤無加、鉛華不御。藁砧古樂府、藁砧今何在、山上更有山。按、砧、擣衣石也。古者婦目其夫每用之。

柳宗元

江雪

二十字可作二十層、却自一片、故奇。

千山鳥飛絕、萬徑人蹤滅。孤舟簑笠翁、獨釣寒江雪。

元稹

行宮

寥落古行宮、宮花寂寞紅。白頭宮女在、閒坐說玄宗。

白居易

問劉十九

信手拈來、都成妙諦、詩家三昧、如是如是。

綠螘新醅酒、紅泥小火爐。晚來天欲雪、能飲一杯無。

綠螘南都賦、醪敷徑寸、浮蟻若萍。謝朓詩、嘉魴聊可薦、綠蟻方獨持。按、螘同蟻、浮螘、醪汁滓酒也。

張祜　字承吉、清河人。嘗客淮南、杜牧深重之。愛丹陽曲阿池、築室卜隱以終。長慶中、祜爲令狐楚所知、自草薦表、令以詩三百首隨薦表進、元稹在內廷、上問之、稹曰、雕蟲小技、壯夫不爲。或奬激之、恐變陛下風教。上頷之、遂失意東歸。

何滿子

故國三千里、深宮二十年。一聲何滿子、雙淚落君前。

何滿子　郭茂倩樂府、白居易曰、何滿子、開元中滄洲歌者臨刑進此曲以贖死、竟不得免。杜陽雜編曰、文宗時、宮人沈阿翹爲帝舞何滿子調詞、風態率皆宛暢。然則亦舞曲也。按、茂倩樂府止載白居易及薛逢二首、而此首不收、故錄于此。

李商隱

登樂遊原

向晚意不適、驅車登古原。夕陽無限好、只是近黃昏。　好景難長久、皆當作此觀。

樂遊原　關中記、宣帝少依許氏、長於杜縣、樂之、後葬于南原、立廟于曲池之北、亭曰樂遊原。名勝志、樂遊原在灞南五里、本杜縣之東南。兩京新記、漢宣帝樂遊廟、一名樂遊苑、亦名樂遊原、基地最高、四望寬敞。

賈島　字閬仙、范陽人。初爲浮屠、名無本、來東都、韓昌黎奇其詩、令反初服。累舉不第、文宗時爲長江主簿。

尋隱者不遇

松下問童子、言師採藥去。只在此山中、雲深不知處。

李　頻　字德新、睦州人。少秀悟、多所記覽、嘗以詩走謁姚少監合、合大加獎挹、以女妻之。大中八年登進士第、歷祕書郎、南陵尉、武功令、拜侍御史。乾符中、歷都官員外郎、建州刺史。

渡漢江

嶺外音書絶、經冬復立春。近鄉情更怯、不敢問來人。

金昌緒　臨安人。

春怨

打起黃鶯兒、莫教枝上啼。啼時驚妾夢、不得到遼西。

黃鶯詩疏、黃鸝、幽州人謂之黃鶯。遼西唐地理志、平州北平郡有遼西戍。一統志、永平府、秦遼西郡。

西鄙人

哥舒歌

先着此五字、比興極奇。

北斗七星高、哥舒夜帶刀。至今窺牧馬、不敢過臨洮。

哥舒唐書、哥舒翰事王忠嗣、署牙將。吐蕃盜邊、翰持半段槍迎擊、所向輒披靡。後築龍駒島戍之、吐蕃遂不敢近青海。北斗七星天官書、北斗七星、所謂璇璣玉衡以齊七政。牧馬過秦論、乃使蒙恬北築長城而守藩籬、卻匈奴七百餘里、胡人不敢南下而牧馬。

樂府

崔顥

長干行 二首

君家何處住、妾住在橫塘。停船暫借問、或恐是同鄉。

橫塘一統志、吳自江口沿淮築隄、謂之橫塘。在今應天府。前首問、此首答。

家臨九江水、來去九江側。同是長干人、生小不相識。

李白

玉階怨

玉階生白露、夜久侵羅襪。卻下水精簾、玲瓏望秋月。

玉階怨王僧虔技錄、相和歌楚調十曲有玉階怨。羅襪洛神賦、凌波微步、羅襪生塵。水精簾沈佺期詩、水精簾外金波下、雲母窗前銀漢回。蕭士贇曰、水精簾以水精爲之、如今之琉璃簾也。

盧綸

塞下曲

鷙翎金僕姑、燕尾繡蝥弧。發令之初。獨立揚新令、千營共一呼。

鷙 疾救切、音袖。鷙鵰也、黑色多子。大 金僕姑 左傳、乘邱之役、公以金僕姑射南宮長萬。注、金僕姑、矢名。瑯嬛記、魯人有僕忽不見、旬日而返。曰、臣之姑得道、白日上升、昨降于泰山、召臣飲、極歡、不覺旬日、臨別贈臣以金矢一乘、曰此矢不必善射、宛轉射人而復歸于笮、試之果然、因以金僕姑名之。自後魯之良矢皆以此名。燕尾 爾雅、繼旐曰旆。注、帛續旐末爲燕尾者。蝥弧 左傳、潁考叔取鄭伯之旗蝥弧以先登。注、蝥弧、旗名。

林暗草驚風、將軍夜引弓。平明尋白羽、沒在石稜中。

石沒羽 漢書李廣傳、廣居右北平、出獵、見草石以爲虎而射之、中石沒羽、視之石也。他日射之、終不能入矣。新序、楚熊渠子夜行見寢石以爲虎、關弓射之、滅矢飲羽。

月黑雁飛高、單于夜遁逃。却敵。欲將輕騎逐、大雪滿弓刀。

野幕敞瓊筵、羌戎賀勞旋。凱旋。醉和金甲舞、雷鼓動山川。

瓊筵 謝朓詩、既通金閨籍、復酌瓊筵醴。雷鼓 周禮注、雷鼓、八面鼓也、祀天神則鼓之。東京賦、雷鼓鼝鼝、六變既畢。

李益

江南曲 古今樂錄、梁武帝改西曲製江南弄七曲、一曰江南弄、二曰龍笛曲、三曰采蓮曲、四曰鳳笙曲、五曰采菱曲、六曰游女曲、七曰朝雲曲。又、沈約作四曲、一曰鳳琵曲、二曰秦箏曲、三曰陽春曲、四曰朝雲曲。

嫁得瞿塘賈、朝朝誤妾期。早知潮有信、嫁與弄潮兒。

賈按、賈音古。行販曰商、坐賣曰賈。潮信按、潮者、地之喘息也、隨月消長。早曰潮、晚曰汐、所以應月者、從其類也。一日之內、自子後陽升之時、陽交于陰而潮生、午後陰升之時、陰交于陽而汐至、如人喘息之象也。一月之內、自三日明生之時則陽長、猶一日之子後也、故潮勢大。十八日魄生之時則陰長、猶一日之午後也、故潮勢亦大。此天地間陰陽造化之妙、莫知其所以然者。大抵朔望前三日潮勢長、朔望後三日潮勢大。弄潮元和志、浙江潮每日晝夜再至、常以月十日二十五日最小、月三日十八日極大。小則水漸漲不過數尺、大則濤湧高至數丈、每年八月十八日、數百里士女共觀舟人漁子泝濤觸浪、謂之弄潮。

唐詩三百首補註卷八

七言絕句

古樂府挾瑟歌、梁元帝烏夜曲等作、皆七言四句、唐人始穩順聲勢、定爲絕句。

賀知章

字季真、越州永興人。性曠夷、善談說、證聖初擢進士、超拔羣類科、累遷太子右庶子充侍讀。肅宗爲太子、知章遷賓客、授祕書監。棄官徒步歸里、自號四明狂客及祕書外監。天寶初、請爲道士、詔許之、以宅爲千秋觀而居。又求周公湖數頃爲放生池、有詔賜鏡湖一曲。卒年八十八。李白傳、白與知章、李適之、汝陽王璡、崔宗之、蘇晉、張旭、焦遂爲飲中八仙。李白送賀監歸四明應制詩序云、賀知章官祕書監、號四明狂客。天寶中請爲道士還鄉、詔許之。既行、帝賜詩、太子百官餞送、百官和之。

回鄉偶書

少小離家老大回、鄉音無改鬢毛衰。兒童相見不相識、笑問客從何處來。

張旭

字伯高、蘇州吳人。嗜酒、每大醉、呼叫狂走乃下筆、或以頭濡墨而書、自視以爲神、世號張顛。自言始見公主擔夫爭道、又聞鼓吹而得筆法意、觀公孫舞劍器得其神。後人論書、至旭無非短者。李白傳、文宗時、詔以李白歌詩、裴旻劍舞、張旭草書爲三絕。金壺記、旭官右率府長史。

桃花谿

四句抵得一篇桃花源記。

隱隱飛橋隔野煙、石磯西畔問漁船。桃花盡日隨流水、洞在清溪何處邊。

桃花谿一統志、常德府桃源縣西南有桃源洞、洞北有桃花谿。

王　維

九月九日憶山東兄弟

獨在異鄉爲異客、每逢佳節倍思親。孝友之思、藹然言外。遙知兄弟登高處、徧插茱萸少一人。

茱萸風土記、俗於九月九日折茱萸以插頭、言辟邪惡。

王昌齡

芙蓉樓送辛漸

寒雨連江夜入吳、平明送客楚山孤。洛陽親友如相問、一片冰心在玉壺。

芙蓉樓一統志、芙蓉樓在鎮江府城上西北隅。玉壺鮑照白頭吟、直如朱絲繩、清如玉壺冰。

閨怨

閨中少婦不知愁、偏先着此三字、返起下文。春日凝妝上翠樓。忽見陌頭楊柳色、悔教夫壻覓封侯。

春宮怨

昨夜風開露井桃、未央前殿月輪高。平陽歌舞新承寵、簾外春寒賜錦袍。

露井桃古樂府、桃生露井上、李樹生桃傍。平陽漢書、衞皇后字子夫、爲平陽主謳者、武帝過平陽、旣飲、謳者進、帝悅子夫、賜平陽主金千斤。

王翰

字子羽、幷州晉陽人。爲汝州長史、徙仙州別駕。杜甫詩、李邕求識面、王翰願卜鄰。

涼州曲

蒲萄美酒夜光杯、欲飲琵琶馬上催。醉臥沙場君莫笑、古來征戰幾人回。作曠達語倍覺悲痛。

涼州曲晉書地理志、漢改雍州爲涼州。樂苑、涼州宮詞曲、開元中、西涼都督郭知運所進。夜光杯十洲記、周穆王時、西域獻夜光常滿杯、杯受三升、是白玉之精、光明夜照。暝夕出杯於中庭以向天、比明而水汁滿中、汁甘而香美、斯實靈人之器。

李白

送孟浩然之廣陵

故人西辭黃鶴樓、煙花三月下揚州。千古麗句。孤帆遠影碧空盡、惟見長江天際流。

下江陵

朝辭白帝彩雲間、千里江陵一日還。兩岸猿聲啼不住、輕舟已過萬重山。

江陵盛宏之荊州記、朝發白帝、暮宿江陵、凡一千二百餘里、雖飛雲迅鳥不能過也。漢書地理志、南郡、縣、江陵。按、注、故楚郢都、楚文王自丹陽徙此。唐書地理志、荊州江陵府、隋爲南郡、天寶元年改爲江陵郡。白帝寰宇記、公孫述更魚復曰白帝城。

岑參

逢入京使

故園東望路漫漫、雙袖龍鍾淚不乾。馬上相逢無紙筆、憑君傳語報平安。

龍鍾卞和歌云、空山歔欷涕龍鍾。

杜甫

江南逢李龜年

世運之治亂、年華之盛衰、彼此之淒涼流落、俱在其中。少陵七絕此為壓卷。

岐王宅裏尋常見、崔九堂前幾度聞。正是江南好風景、落花時節又逢君。

李龜年明皇雜錄、樂工李龜年特承恩遇、於東都通遠里大起第宅、後流落江南、每遇良辰勝景、常為人歌數闋、座客聞之、莫不掩泣。岐王舊唐書、岐王範、好學工書、雅愛文章之士、為時所稱。開元十四年薨。崔九舊唐書、崔湜弟滌、素與玄宗款密、用為祕書監、出入禁中。後賜名澄、開元十四年卒。

按、原注、崔九、即崔滌。

韋應物

滁州西澗

獨憐幽草澗邊生、上有黃鸝深樹鳴。春潮帶雨晚來急、野渡無人舟自橫。

滁州西澗一統志、隋改南譙州爲滁州、因滁水得名。西澗在州城西、俗名上馬河。

張　繼

字懿孫、襄州人。天寶末進士、大曆末授祠部員外郎。

楓橋夜泊

月落烏啼霜滿天、江楓漁火對愁眠。姑蘇城外寒山寺、夜半鐘聲到客船。

楓橋一統志、楓橋在蘇州府城西七里、南北往來、必經於此。寒山寺在楓橋東。一統志、寒山寺在蘇州府城西十里。

韓　翃

寒食

春城無處不飛花、寒食東風御柳斜。日暮漢宮傳蠟燭、輕煙散入五侯家。唐代宦官之盛、不減于桓靈。詩比諷深遠。

寒食荊楚記、去冬至一百五日、即有疾風甚雨、謂之寒食、禁火三日。歲時記、介子推三月五日爲火所焚、國人哀之、每歲春暮不擧火、謂之禁煙、犯之則雨雹傷田。鄴中記、并州俗、爲介子推斷火冷食三日、作乾粥。今之糗是也。輕煙唐輦下歲時記、淸明日取楡柳之火以賜近臣。五侯注云、五侯、唐詩別裁或指王氏五侯、或指宦官滅梁冀之五侯。總之、先及貴近之家也。後漢書、宦者傳、桓帝封單超新豐侯、徐璜武原侯、具瑗東武侯、左悺上蔡侯、唐衡漁陽侯、世謂五侯。

劉方平

河南人。不樂仕進、元魯山與之善、蕭穎士稱之。

月夜

更深月色半人家、北斗闌干南斗斜。今夜偏知春氣暖、蟲聲新透綠窗紗。春意益然。

闌干　吳都賦、雜鬧紛紜、器用萬端、金鎰磊砢、珠琲闌干。注、闌干、縱橫也。古樂府、善哉行、月落參橫、北斗闌干。

春怨

紗窗日落漸黃昏、金屋無人見淚痕。寂寞空庭春欲晚、梨花滿地不開門。

柳中庸　本名淡、以字行、京兆人。官洪府戶曹。

征人怨

歲歲金河復玉關、朝朝馬策與刀環。三春白雪歸青冢、萬里黃河繞黑山。

金河　唐書地理志、單于大都護府、龍朔二年置縣一金河。　馬策　吳志孫策傳、揮馬策下江南數十城。注、策、馬箠也。　刀環　樂府解題、大刀頭者、刀頭有環也。何當大刀頭者、何日當還也。吳均詩、蓮花穿劍鍔、秋月掩刀環。　黑山　蘇晉丞相賜宴序、寢黑山之柝、包青海之戈。按、黑山在榆林衞。

顧況　字逋翁、蘇州海鹽人。與柳渾李泌善、渾輔政、以校書徵泌為相、稍遷況為著作郎。坐以詩語調謔貶司戶參軍。隱居茅山、自號華陽真逸。以壽終。

宮詞

玉樓天半起笙歌、風送宮嬪笑語和。月殿影開聞夜漏、水精簾捲近秋河。

月殿　謝莊月賦、去燭房、即月殿。蕭子良詩、月殿風轉、層臺氣寒。

李益

夜上受降城聞笛

回樂峯前沙似雪、低頭見。受降城外月如霜。擡頭見。不知何處吹蘆管、一夜征人盡望鄉。總上一句。

受降城 唐書張仁愿傳、仁愿請乘虛取漠北地、於河北築三受降城、絕虜南寇路。 回樂 唐書地理志、靈州大都護府有回樂縣。

劉禹錫

烏衣巷

朱雀橋邊野草花、烏衣巷口夕陽斜。舊時王謝堂前燕、飛入尋常百姓家。

烏衣巷 一統志、烏衣巷在應天府南、晉王導謝安居此。其子弟皆烏衣、故名。 朱雀橋 六朝事迹、晉咸康二年作朱雀門。新立朱雀浮航、在縣城東南四里、對朱雀門、南渡淮水、亦名朱雀橋。一統志、朱雀橋、在烏衣巷口。

春詞

新妝宜面下朱樓、深鎖春光一院愁。行到中庭數花朵、蜻蜓飛上玉搔頭。無情處都有情。

白居易

宮詞

淚盡羅巾夢不成、夜深前殿按歌聲。紅顏未老恩先斷、斜倚熏籠坐到明。

熏籠 東宮舊事、太子納妃、有漆畫熏籠二、大被熏籠三、衣熏籠三。劉遵詩、金屏障翠被、藍帊覆熏籠。

張祜

贈內人

禁門宮樹月痕過、媚眼惟看宿鷺窠。斜拔玉釵燈影畔、剔開紅燄救飛蛾。 慧心仁術。

集靈臺

日光斜照集靈臺、紅樹花迎曉露開。昨夜上皇新授籙、太真含笑入簾來。

集靈臺 一統志、集靈臺在華清宮長生殿側。 授籙 魏書釋老志、寇謙之奏曰、陛下以真君御世、應登受符書、以彰聖德。世祖從之。於是親至道壇受符籙。隋書經籍志、道經受道之法、初受五千文籙、次受三洞籙、次受洞玄籙、次受上清籙。籙皆素書、記諸天曹官屬佐吏之名。

其二 此詩亦載杜工部集。

號國夫人承主恩、平明騎馬入宮門。却嫌脂粉汚顏色、淡掃蛾眉朝至尊。

騎馬 明皇雜錄、號國夫人常乘驄馬入禁行。 淡掃句 楊妃外傳、號國不施朱粉、自有美豔、常素面朝天。

題金陵渡

金陵津渡小山樓、一宿行人自可愁。潮落夜江斜月裏、兩三星火是瓜州。

瓜州　名勝志、瓜州在揚州府南、本名瓜州渡、亦名瓜州村、揚子江之砂磧也。唐爲鎮、今其上有城。按、虞允文傳、金主率大軍臨采石、而別以兵爭瓜州。正字通、今鎮江有瓜州、異地同名。

朱慶餘

唐書作朱慶、名可久、以字行、又字慶緒、越州人。登寶歷進士第而官不達。

宮中詞

寂寂花時閉院門、美人相並立瓊軒。含情欲說宮中事、鸚鵡前頭不敢言。深得愼言之旨。

鸚鵡　禮、鸚鵡能言、不離飛鳥。禽經、鸚鵡出隴西、能言鳥也。

近試上張水部

洞房昨夜停紅燭、待曉堂前拜舅姑。妝罷低聲問夫壻、畫眉深淺入時無。

張水部　全唐詩話、慶餘遇水部郎中張籍、因索慶餘新舊篇什、擇二十六章置之懷袖而推贊之、時人以籍重名、皆繕錄諷詠、遂登科。慶餘作是詩以獻。籍酬之曰、越女新妝出鏡新、自知明豔更沉吟。齊紈未足時人貴、一曲菱歌敵萬金。由是朱之名流於海內矣。

洞房　長門賦、徂清夜於洞房。呂向注、洞、深也。

舅姑　禮昏義、夙興、婦沐浴以俟見、質明、贊見婦於舅姑。

畫眉　漢書、張敞爲婦畫眉、長安中傳張京兆眉嫵。有司以奏。上問之。對曰、臣聞閨房之內、夫婦之私、有過於畫眉者。上愛其能、弗責也。瑣碎錄、畫眉石出武昌樊湖。

杜牧

將赴吳興登樂遊原

清時有味是無能、閑愛孤雲靜愛僧。欲把一麾江海去、樂遊原上望昭陵。惓惓不忍去、忠愛之思、溢於言表。

吳興晉書地理志、吳興郡、吳置、統縣十一。又、建安郡統縣、吳興。按、牧爲司勳員外、乞爲湖州刺史。一麾按、肆園居士注云、顏延年爲阮始平詩、屢薦不入官、一麾乃出守。沈存中謂山濤薦咸爲吏部郎、三上帝不用、後爲荀勗一擠、遂出始平、故有此句。一麾者、乃指麾、非旌麾之麾也。後人以一麾爲牧守故事、誤自此詩始。昭陵唐太宗因九嵕山爲陵、在醴泉北。

赤壁

此詩亦載李商隱集。

折戟沉沙鐵未銷、自將磨洗認前朝。東風不與周郎便、銅雀春深鎖二喬。詩謂無此東風、則二喬當爲銅雀中人矣。或以喬作橋、便與東風句不貫。

赤壁元和郡國志、赤壁山在鄂州蒲圻縣西一百二十里、北臨大江、其北岸即與烏林相對。一云在鄂州上流八十里、與百人山相對。江邊石皆赤色、故號爲赤壁磯。一統志、赤壁山在武昌府東南九十里。圖經、赤壁山在嘉魚縣西七十里大江濱。按、今江漢間言赤壁者五、漢陽、漢川、嘉魚、江夏。惟江夏之說合於史。通鑑、孫權以周瑜程普爲左右督、將兵與劉備幷力逆曹操、進與操遇於赤壁。時操軍衆已有疾疫、初一交戰、操兵不利、引次江北。瑜等在南岸、部將黃蓋曰、操軍方連船艦、首尾相接、可燒而走也。乃取蒙衝鬬艦數十艘、載燥荻枯柴灌油其中、裹以帷幕、上建旌旗、豫備走舸、繫於其尾。先以書遺操、詐云欲降。時東南風急、蓋以艦最著前、中江舉帆、餘船以次俱進、操軍吏士皆出營立觀、指言蓋降。去北軍二里餘、同時發火、火烈風猛、船往如箭、燒盡北船、延及岸上營落、烟炎張天、人馬燒溺、死者甚衆。瑜等率輕銳繼其後、雷鼓大震、北軍大壞。操引軍從華容道步走。**銅雀** 魏志、武帝作銅雀臺、鑄大銅雀、高一丈五尺、置之樓巔。鄴中記、鄴城西北立臺、皆因城爲基趾、中央名銅爵臺、北爲氷井臺、西臺高六十七丈、上作銅鳳、皆銅籠疏、雲母幌、日之初出、流光照耀、一作銅雀臺。劉孝綽詩、雀臺三五日、歌吹似佳期。**二喬** 吳紀、喬公有二女、大喬屬孫策、小喬屬周瑜。按、三國時、喬公有二女皆國色、孫策納大喬。周瑜納小喬。策從容謂瑜曰、喬公二女雖然流離、得吾二人作婿亦足爲歡。

泊秦淮

煙籠寒水月籠沙、夜泊秦淮近酒家。商女不知亡國恨、隔江猶唱後庭花。

秦淮 建康實錄、秦始皇東巡、望氣者云、五百年後金陵有天子氣、因鑿鍾阜斷金陵長隴以疏淮水、至今呼爲秦淮。六朝事迹、秦始皇鑿鍾山斷金陵長隴以疏淮水、後人因名秦淮。**後庭花** 南史、陳後主袁大捨等爲女客共賦新詩、采其尤豔者有玉樹後庭花、臨春樂等曲。陳後主玉樹後庭花曲、麗宇芳林對高閣、新粧豔質本傾城。映戶凝嬌乍不進、出帷含態笑相迎。妖姬臉似花含露、玉樹流光照後庭。

寄揚州韓綽判官

青山隱隱水迢迢、秋盡江南草木凋。二語與謫仙煙花三月七字、皆千古麗句。二十四橋明月夜、玉人何處教吹簫。

二十四橋 一統志、揚州二十四橋在府城、隋置、並以城門坊市爲名。後韓令坤別立橋梁。所謂二十四橋不可考矣。按、補筆談、揚州在唐時最爲富盛、舊城南北十五里一百一十步、東西七里三十步、可紀者有二十四橋、最西濁河茶園橋、次東大明橋、入西水門有九曲橋、次當帥牙南門有下馬橋、又東作坊橋、東河轉向南有洗馬橋、次南橋、又南阿師橋、周家橋、小市橋、廣濟橋、新橋、開明橋、顧家橋、通明橋、太平橋、利國橋、出南水門有萬歲橋、青園橋、自驛橋、北河流東出有參伍橋、次東水門東出有山光橋、又自牙門下馬橋。直南有北三橋、中三橋、南三橋、號九橋、不通船、不在二十四橋之數、皆在今州城西門之外。按、沈氏所列橋、下或自注今存、知已有不存者、且數亦不合。

遣懷

落魄江湖載酒行、楚腰纖細掌中輕。十年一覺揚州夢、贏得青樓薄倖名。

落魄　韻會、魄、音托、落魄貧無家業。史記酈生傳、家貧落魄。漢書注、落魄、志行衰惡之貌。師古曰、失業無倚也。　楚腰　漢書馬廖傳、吳王好劍客、百姓多瘡瘢。楚王好細腰、宮中多餓死。　掌中　飛燕外傳、趙飛燕體輕、能爲掌上舞。南史羊侃傳、舞人張淨婉、腰圍一尺六寸、時人咸推能爲掌上舞。　十年一覺　傳燈錄、十年一覺紅塵夢、不定風燈是此身。　揚州夢　杜牧別傳、牧在揚州、每夕爲狹斜遊、所至成歡、無不會意、如是者數年。全唐詩話、杜牧不拘細行、故詩有是句。吳武陵以阿房宮賦薦于崔郾、遂登第。

秋夕

層層布景、是一幅著色人物畫、只坐看二字、逗出情思、便通身靈動。

銀燭秋光冷畫屏、輕羅小扇撲流螢。天街夜色涼如水、臥看牽牛織女星。

牽牛織女星　星經、牛六星、在天河東、上抵天津扶筐、又名天鼓、木星也。天之關梁、日月五星之中道、主犧牲之事。織女三星、在河西北、又名東橋。天帝之女、水官也、春夏必先見、主果蓏絲棉珍寶、三星俱明天下平、女工善。天官書、牽牛爲犧牲、其北河鼓、婺女其北織女。織女、天女孫也。

贈別 按、才調集、留青日扎、張好好年十三、杜牧以善歌置樂籍中、贈詩云云。

娉娉嫋嫋十三餘、豆蔻梢頭二月初。春風十里揚州路、捲上珠簾總不如。

娉韻會、娉婷、女美好貌。 嫋嫋九歌、嫋嫋兮秋風、洞庭波兮木葉下。吳都賦、藹藹翠幄、嫋嫋素女。 豆蔻宋史地理志、慶遠府貢生豆蔻、草豆蔻。梁簡文帝詩、別觀葡萄帶寶垂、江南豆蔻生連枝。桂海虞衡志、豆蔻花、春末發、初開花、先抽榦、有大籜包之、籜解花見、一穗數十蕊、每蕊心有兩瓣相並、詞人托興比目連理云。劉孟熙引本草云、豆蔻未開者、謂之含胎花、言少而娠。按、丹鉛總錄、牧之詩詠娼女、言美而少、如豆蔻花之未開。

多情却似總無情、唯覺尊前笑不成。蠟燭有心還惜別、替人垂淚到天明。

燭心梁簡文帝燭賦、挂同心之明燭、施雕金之露盤。

金谷園

二句十三層。

繁華事散逐香塵、流水無情草自春。日暮東風怨啼鳥、落花猶似墮樓人。

金谷 石崇金谷詩序、有別廬在河南縣界金谷澗。水經注、金谷水出河南太白原、東南流、歷金谷、謂之金谷水、東南流、經石崇故居。庾信枯樹賦、若非金谷滿園樹、即是河陽一縣花。 香塵拾遺記、石季倫屑沉水之香如塵末、布象床上、使所愛者踐之、無迹者賜以真珠。 墮樓人晉書石崇傳、崇有妓曰綠珠、美而豔、善吹笛。孫秀使人求之。崇勃然曰、綠珠吾所愛、不可得也。秀怒、矯詔收崇。崇正宴于樓上、介士到門。崇謂綠珠曰、我今爲爾得罪。綠珠泣曰、當效死于官前。因自投于樓下而死。

李商隱

夜雨寄北

君問歸期未有期、巴山夜雨漲秋池。何當共剪西窗燭、却話巴山夜雨時。

巴山（一統志、四川保寧府大巴嶺、在通江縣東北五百里、與小巴嶺相接、世傳九十里巴山是也。）

寄令狐郎中

嵩雲秦樹久離居、雙鯉迢迢一紙書。休問梁園舊賓客、茂陵秋雨病相如。

令狐郎中（令狐綯傳、大中二年拜考功郎中、尋知制誥、充翰林學士。）雙鯉（古詩、客從遠方來、遺我雙鯉魚。呼兒烹鯉魚、中有尺素書。按、肆園居士注、升庵詩話、古樂府詩、尺素如殘雪、結成雙鯉魚。要知心裏事、看取腹中書。據此、則古人尺書結爲鯉魚形、卽緘也。）相如（史記、司馬相如客游梁、梁孝王令與諸生同舍、後爲孝文園令。病免、家居茂陵。）

爲有

爲有雲屏無限嬌、鳳城寒盡怕春宵。無端嫁得金龜壻、辜負香衾事早朝。

雲屏（西京雜記、趙飛燕皇后女弟趙昭儀、遺雲母屏風、琉璃屏風。）鳳城（梁戴嵩詩、丹鳳俯臨城。趙次公杜注、秦穆公女吹簫、鳳降其城、因號丹鳳城。其後言京師之盛曰鳳城。）金龜（唐書、天授二年改佩魚皆爲龜、三品以上、龜袋飾以金。）

隋宮

乘興南遊不戒嚴、九重誰省諫書函。春風舉國裁宮錦、半作障泥半作帆。

南遊大業十二年幸江都、奉信郎崔民象表諫、上大怒、先解其頤乃斬之。障泥記、道原注、障泥、以披馬鞍旁者。西京雜記、武帝時、貳師得天馬、以綠地五色錦爲蔽泥。晉書、王濟所乘、不肯渡水、曰、馬必是惜障泥、解之乃渡。

瑤池

瑤池阿母綺牕開、黃竹歌聲動地哀。八駿日行三萬里、穆王何事不重來。

瑤池太平廣記、西王母所居、宮室九層、玄室紫翠丹房、左帶瑤池、右環翠水。列子、穆王肆意遠遊、命駕八駿之乘馳驅、遂賓於西王母、觴於瑤池之上。黃竹穆天子傳、天子遊黃臺之邱、獵於苹澤、有陰雨、天子乃休。日中大寒、北風雨雪、有凍人、天子作詩三章以哀之曰、我徂黃竹、負閟寒謝。惠連雪賦、岐昌發詠于來思、姬滿申歌于黃竹。八駿拾遺記、穆王八駿、一名絕地、二名翻羽、三名奔宵、四名起影、五名一輝、六名超光、七名騰霧、八名挾翼。穆天子傳、八駿之乘、曰赤驥、盜驪、白義、踰輪、山子、渠黃、驊騮、騄耳。劉孝綽詩、二龍迎夏代、八駿馭周朝。

嫦娥

雲母屏風燭影深、長河漸落曉星沉。嫦娥應悔偷靈藥、碧海青天夜夜心。

雲母按、本草綱目、荊南志云、華容方臺山出雲母、土人候雲所出之處、於下掘之、無不大獲。有長五六尺可爲屏風者。嫦娥後漢書天文志注、羿請無死之藥於西王母、姮娥竊之以奔月。將往、枚筮之於有黃、有黃筮之曰、吉、翩翩歸妹、獨將西行、逢天晦芒、毋驚毋恐、後且大昌。姮娥遂託身於月、是爲蟾蜍。按、姮亦作嫦。嫦娥、羿妻。蟾蜍、月中三尺物也。

賈生

宣室求賢訪逐臣、賈生才調更無倫。可憐夜半虛前席、不問蒼生問鬼神。

溫庭筠

瑤瑟怨

通首布景、只夢不成三字露怨意。

冰簟銀牀夢不成、碧天如水夜雲輕。雁聲遠過瀟湘去、十二樓中月自明。

瀟湘本集注、圖經、湘水自揚海發源、至零陵北而營水會之、二水合流、謂之瀟湘。瀟者、水清深之名也。按、一統志、瀟湘雖自古並稱、然漢志水經俱無瀟水之名。唐柳宗元愚溪詩序、始稱讁瀟水上、然不詳其源流。宋祝穆始稱瀟水出九疑山。今細考之、唯道州北出瀟山者爲瀟水、其下流皆營水故道也。至祝穆所謂出九疑山者、乃水經注之泠水、北合都谿以入營者也。又、零陵蔣本厚山水志云、瀟水、一支出江華、一支出永明、一支出濂溪。唯出濂溪者猶爲近之、出江華者乃以沱水爲瀟水、出永明者以掩水爲瀟水。蓋後人以營水所經注謂之瀟水、而遂不知有營水矣。十二樓神仙傳、崑崙閬風苑有玉樓十二、立臺九層、左瑤池、右翠水、有弱水九重、蓋不可到。

鄭畋

字台文、系出滎陽。會昌進士第、授檢校司徒、太子太保、僖宗朝同平章事。爲人仁恕、姿采如峙玉。黃巢之亂、先諸軍破賊、雖功不終、而還相天子、坐籌帷幄、終能復國云。

馬嵬坡

唐人馬嵬詩極多、惟此首得溫柔敦厚之意、故錄之。

玄宗回馬楊妃死、雲雨難忘日月新。終是聖明天子事、景陽宮井又何人。

馬嵬關史、馬嵬、太眞縊所、題詩者多悽感。鄭畋爲鳳翔從事、題是詩、觀者以爲有宰輔之器。雲雨宋玉高唐賦序、昔者楚襄王與宋玉遊於雲夢之臺、望高唐之觀、其上獨有雲氣、王問玉曰、此何氣也。玉對曰、所謂朝雲者也。王曰、何謂朝雲。玉曰、昔者先王嘗遊高唐、怠而晝寢、夢見一婦人曰、妾巫山之女也、爲高唐之客、聞君遊高唐、願薦枕席。王因幸之。去而辭曰、妾在巫山之陽、高丘之阻、旦爲朝雲、莫爲行雨、朝朝暮暮、陽臺之下。旦朝視之、如言、故爲立廟、號曰朝雲。景陽井南畿志、景陽井在臺城內、陳後主與張麗華、孔貴嬪投其中以避隋兵將。舊傳闌有石脈、以帛拭之作臙脂痕、名臙脂井、一名辱井。

韓偓

字致光、本字致堯、冬郎其小字也。昭宗龍紀元年擢進士第、召拜左拾遺、累翰林學士中書舍人。劉季述之變、佐崔允反正爲功臣、韓全誨等劫上西幸、偓夜追及鄠、見上慟哭。至鳳翔、遷兵部侍郎、進承旨。上欲用偓爲相、偓薦趙崇、王贊自代、忤朱全忠、貶濮州司馬、上與泣別、偓曰、是人非復向來之比、臣得貶死爲幸、不忍見篡弒之辱。及昭宗被弒、挈其族依王審知、終身不食梁祿。捐館日、有一篋緘鐍甚密、家人意其中有珍玩、發觀之、唯得燒殘龍鳳燭百餘條、蠟淚尚新。蓋在翰苑日、昭宗詔對金鑾、深夜、宮伎秉燭以送、偓悉藏之、識不忘也。其大節與司空表聖略相等。而唐書本傳但言偓不敢入朝、不少發明其心迹、惜哉。偓富才情、詞致婉麗、幼喜爲閨閣詩、後遭國禍、出語依於節義、得詩人之正焉。

已涼

碧闌干外繡簾垂、猩色屏風畫折枝。八尺龍鬚方錦褥、已涼天氣未寒時。

（此亦通首布景、并不露情思、而情愈深遠。）

（猩色　爾雅、猩猩小而好啼。注、人面而豕身、能言語、今交趾封谿縣出猩猩、狀如貛㹠、聲似小兒啼。華陽國志、猩猩血可以染朱罽。　八尺　東宮舊事、皇太子拜有八尺褥一、中褥一、步輿褥一。　龍鬚　水經注、自洮強南北三百里、地草徧是龍鬚而無樵柴。胡三省通鑑注、龍鬚席以龍鬚草織成、今淮上安慶府居人多能織。）

韋莊

金陵圖

江雨霏霏江草齊、六朝如夢鳥空啼。無情最是臺城柳、依舊煙籠十里隄。

（六朝　按、東吳、晉、宋、齊、梁、陳、皆都金陵、是謂六朝。　臺城　一統志、臺城在上元縣治東北五里。容齋隨筆、晉宋間、謂朝廷禁近爲臺、故稱禁城爲臺城、官軍爲臺軍、使爲臺使。）

陳陶

（字嵩伯、嶺南人。大中時遊學長安、善天文曆數、於時不合、隱居洪州西山、種柑橘、令賣之自給。妻子亦知讀書、自號三教布衣。宋開寶中猶見之、或云僊去。）

隴西行

誓掃匈奴不顧身、五千貂錦喪胡塵。可憐無定河邊骨、猶是春閨夢裏人。

（較之一將功成萬骨枯句更爲深痛。）

隴西行 通典、秦置隴西郡、以居隴坻之西爲名也。按、此係樂府舊題、而茂倩不收、故錄於此。又按、古樂府瑟調十三曲有隴西行。五千 李陵答蘇武書、昔先帝授陵步卒五千、出征絕域。貂錦 按、岑參詩、將軍縱得場場勝、賭得單于貂鼠袍。鼠、亦作錦。無定河 輿地記、唐立銀州、東北有無定河。一統志、無定河、在陝西延安府。

寄人

張泌 淮南人。初官句容尉、上書言治道、後主徵爲監察御史舍人。入宋後、家毗陵。按、南唐書作張似。

別夢依依到謝家、小廊回合曲闌斜。多情只有春庭月、猶爲離人照落花。

無名氏

雜詩 二句十數層。

近寒食雨草萋萋、著麥苗風柳映隄。等是有家歸未得、杜鵑休向耳邊啼。

杜鵑 零陵記、杜鵑、其音云不如歸去。按、康輿之詞、鎭日丁寧千百遍、只將一句頻頻說。道不如歸去、不如歸、傷情切。

樂府

王維

渭城曲

渭城朝雨浥輕塵、客舍青青柳色新。勸君更盡一杯酒、西出陽關無故人。

渭城曲 渭城、一日陽關。王右丞全集本作送元二使安西詩、後遂被於謌。劉禹錫與歌者詩云、舊人唯有何戡在、更與殷勤唱渭城。白居易對酒詩云、相逢且莫推辭醉、聽唱陽關第一聲。注、卽勸君更盡一杯酒、西出陽關無故人也。渭城陽關之名、蓋因辭云。按、本集注、此詩唐人歌、入樂府、以爲送別之曲、至陽關句反覆歌之、謂之陽關三疊、亦謂之渭城曲。又按、相傳曲調最高、倚歌者笛爲之裂。水經注、太史公曰、長安、故咸陽也、高帝更名新城、武帝別爲渭城。 陽關 漢書西域傳、西域、孝武時始通。東接漢、阸以玉門陽關、西則限以蔥嶺。又、地理志、龍勒縣有陽關、玉門關。按、陽關在中國外、安西更在陽關外。此詩言陽關已無故人矣。况安西乎。

秋夜曲 他本俱作王涯、今照郭茂倩本。

桂魄初生秋露微、輕羅已薄未更衣。貌爲鬧熱、心實淒涼、非深於涉世者不知。銀箏夜久殷勤弄、心怯空房不忍歸。

桂魄 唐太宗望月詩、魄滿桂枝圓。酉陽雜俎、月中桂樹高五百丈、下有一人常斫之、樹創隨合。人姓吳名剛、學仙有過、謫令伐樹。 銀箏 南史何承天傳、承天好棊、頗用廢事、又善彈箏、文帝賜以局子銀裝箏、承天奉表陳謝、上答曰、局子之賜、何必非張武之金耶。

王昌齡

長信怨

奉帚平明金殿開、暫將團扇共徘徊。玉顏不及寒鴉色、猶帶昭陽日影來。

長信 漢官儀、帝祖母稱長信宮、帝母稱長樂宮。漢書外戚傳、班婕妤、左曹越騎校尉況之女、少有才學、成帝選入宮以爲婕妤、趙飛燕譖其祝詛、遂求養太后長信宮、帝崩後充奉陵園。 **奉帚** 柳惲詩、奉帚長信宮、誰知獨不見。 **團扇** 班婕妤怨歌行、新裂齊紈素、皎潔如霜雪。裁爲合歡扇、團團似明月。出入君懷袖、動搖微風發。常恐秋節至、涼飆奪炎熱。棄捐篋笥中、恩情中道絕。 **昭陽** 按、唐詩別裁注、昭陽宮、趙昭儀所居、宮在東方。寒鴉帶東方日影而來、言已不如鴉也。

出塞

秦時明月漢時關、萬里長征人未還。但使龍城飛將在、不教胡馬度陰山。

出塞 郭茂倩樂府、晉書樂志曰、出塞、入塞曲、李延年造、曹嘉之晉書曰、劉疇嘗避亂塢壁、賈胡數百欲害之、疇無懼色、援笳而吹之、爲出塞、入塞之聲、以動其遊客之思、羣胡皆垂泣而去。按、西京雜記、戚夫人善歌出塞、入塞、望歸之曲。則高帝時已有之、疑不起於延年矣。又有塞上曲、塞下曲、蓋由於此。 **龍城** 史記衛青傳、元光五年、青爲車騎將軍、擊匈奴出上谷至龍城、斬首虜數百。漢書注、龍、讀作龍。晉書張軌傳、姑臧城本匈奴所築、南北七里、東西三里、地有龍形、故曰龍城。 **飛將** 魏志呂布傳、布便弓馬、膂力過人、號爲飛將。又、漢書李廣傳、李廣猿臂善射、結髮從征、大小七十餘戰、人莫敢敵、上拜廣北平太守。廣在郡、匈奴號曰漢飛將軍、避之、數歲不敢入界。按、龍城、飛將蓋二事、此合之、誤也。

李白

清平調

雲想衣裳花想容、春風拂檻露華濃。若非羣玉山頭見、會向瑤臺月下逢。此言妃子之美、花似之。

一枝紅豔露凝香、雲雨巫山枉斷腸。借問漢宮誰得似、可憐飛燕倚新妝。此言花之豔、妃似之。

名花傾國兩相歡、常得君王帶笑看。解釋春風無限恨、沉香亭北倚闌干。此花與妃合寫、歸到君。

清平調 太真外傳、開元中、禁中重木芍藥、即今牡丹也。得數本紅、紫、淺紅、通白者、上因移植於興慶池東、沉香亭前。會花方繁開、上乘照夜白、妃以步輦從、詔選梨園子弟中尤者、得樂一十六色。李龜年以歌擅一時之名、手捧檀板、押衆樂前、將欲歌之。上曰、賞名花、對妃子、焉用舊樂詞爲。遽命龜年持金花箋、宣賜翰林學士李白立進清平樂詞三章。白承旨、宿酲未解、因援筆賦之。龜年捧詞進、上命梨園子弟略約詞調、撫絲竹、遂促龜年以歌之。太真妃持頗梨七寶杯酌西涼州蒲桃酒、笑領歌辭、意甚厚。上因調玉笛以倚曲、每曲徧將換、則遲其聲以媚之。妃飲罷、斂繡巾再拜。上自是顧李翰林尤異於諸學士。通典、平調、清調、瑟調、皆周房中之遺聲也。唐書、禮樂志、俗樂二十八調中、有正中調、高平調、則知所謂清平調者、亦其類也。 羣玉山 穆天子傳、天子北征至於羣玉之山。山海經、玉山、西王母所居也。郭璞注、此山多玉石、因以爲名。 瑤臺 楚辭、望瑤臺之偃蹇兮、見有娀之佚女。王逸注、有娀、國名。佚、美也。謂帝嚳之妃、契母簡狄也。沈約詩、含吐瑤臺月。按、崑崙瑤臺、是西王母之宮。 飛燕 漢書、趙成皇后、本長安宮人、及壯、屬陽阿主家、學歌舞、號曰飛燕。成帝嘗微行出、過陽阿主、作樂、上見飛燕而悅之、召入宮、大幸。有女弟、復召入、俱爲婕妤、貴傾後宮。許后之廢也、乃立婕妤爲皇后。皇后既立後、寵少衰、而弟絕幸、爲昭儀、居昭陽舍。西京雜記、趙后體輕腰弱、善行步進退、女弟昭儀不能及也。但昭儀弱骨豐肌、尤工語笑、二人並色如紅玉、爲當時第一、皆擅寵宮中。 沉香亭 按、沉香亭以沉香爲之、如栢梁臺以香柏爲之也。

王之渙

出塞

黃河遠上白雲間、一片孤城萬仞山。羌笛何須怨楊柳、春風不度玉門關。

楊柳演繁露、笛亦有落梅、折柳二曲、今其曲亡、不可攷矣。技錄、折楊柳、古曲名也。按、折楊柳、落梅花、皆笛曲名。

杜秋娘

杜牧杜秋娘詩序、杜秋、金陵女也、年十五爲李錡妾、後錡叛滅、籍之入宮、有寵於景陵。穆宗卽位、命秋娘爲皇子傅母。皇子壯、封漳王、被罪廢削、秋因賜歸故鄉。

金縷衣

勸君莫惜金縷衣、勸君惜取少年時。花開堪折直須折、莫待無花空折枝。卽聖賢惜陰之意、言近旨遠。

金縷衣樂府詩集、金縷衣、近代曲詞。